D0601349

FEMMES AU TEMPS DES CARNASSIERS

De la même auteure

Balafres, poésie, Montréal, CIDIHCA, 1994
La dot de Sara, roman, Montréal, Remue-ménage, 1995
Le silence comme le sang, nouvelles, Montréal, Remue-ménage, 1997
Le livre d'Emma, roman, Montréal, Remue-ménage, 2001
Un alligator nommé Rosa, roman, Montréal, Remue-ménage, 2007
Et puis parfois quelquefois... poésie, Montréal, Mémoire d'encrier, 2009

Littérature jeunesse
Alexis d'Haïti, Montréal, Hurtubise, 1999
Le Noël de Maïté, Montréal, Hurtubise, 1999
Alexis fils de Raphaël, Montréal, Hurtubise, 2000
Vingt petits pas vers Maria, Montréal, Hurtubise, 2001
L'oranger magique, Montréal, Les 400 Coups, 2002
La légende du poisson amoureux, Montréal, Mémoire d'encrier, 2003
La nuit du Tatou, Montréal, Les 400 Coups, 2008

MARIE-CÉLIE AGNANT

FEMMES AU TEMPS DES CARNASSIERS

ROMAN

les éditions du remue-ménage

En couverture : *Trinité*, Marie-Hélène Cauvin, huile sur toile, 152 x 122 cm, 2003
Couverture : Remue-ménage
Infographie : Claude Bergeron

Catalogage avant publication de Bibliothèque et Archives nationales du Québec et Bibliothèque et Archives Canada

Agnant, Marie-Célie
Femmes au temps des carnassiers
(Fictions)
ISBN 978-2-89091-509-1
I. Titre.
PS8551.G62F45 2015 C843'.54 C2015-941794-5
PS9551.G62F45 2015

ISBN (pdf) : 978-289091-510-7
ISBN (epub) : 978-289091-511-4

© Marie-Célie Agnant/Les Éditions du remue-ménage
Dépôt légal : troisième trimestre 2015
Bibliothèque et Archives Canada
Bibliothèque et Archives nationales du Québec

Les Éditions du remue-ménage
110, rue Sainte-Thérèse, bureau 303
Montréal (Québec) H2Y 1E6
Tél. : 514 876-0097/Téléc. : 514 876-7951
info@editions-rm.ca/www.editions-rm.ca

Distribution en librairie (Québec et Canada) : Diffusion Dimedia
Europe : La Librairie du Québec à Paris/DNM
Ailleurs à l'étranger : Exportlivre

Les Éditions du remue-ménage bénéficient du soutien de la Société de développement des entreprises culturelles du Québec (SODEC) pour leur programme d'édition et du soutien du Conseil des arts et des lettres du Québec. Nous remercions le Conseil des Arts du Canada de l'aide accordée à notre programme de publication. Nous reconnaissons l'aide financière du gouvernement du Canada par l'entremise du Fonds du livre du Canada pour nos activités d'édition.

À la mémoire d'Yvonne Hakim Rimpel

Aucune voix ne pourra jamais lui rendre la sienne,
brutalement réduite au silence
un dimanche 5 janvier de l'année 1958.
Cet ouvrage, simplement pour dire
qu'une histoire tue est une histoire tuée.

PREMIÈRE PARTIE

Une odeur de sang et de goudron

Airain. Nuits d'airain. Les seuls mots qui me viennent quand je pense à ces longues nuits. Tunnels sombres et froids dans lesquels on erre sans espoir de voir émerger le jour. Nuit dans ma tête, dans mes membres, et dans le ciel, ces longs couteaux, comme des sabres. Les étoiles se détachent par grappes, glissent avec un chuintement, laissent échapper un dernier souffle avant d'aller mourir au sol dans un bruit mat. Chaque nuit, le ciel fond. Et les couteaux, impassibles dans l'éclat sinistre de leur tranchant. Comment dire cette coulée de plomb en moi, et ces images sorties d'un rêve qui n'en est pas un ? L'aube, blafarde ou éclatante, ne parvient pas à traverser ce voile immense, ce suaire, qui enveloppe la ville, l'enserre. Geôlière zélée, à chaque lever du jour, la terreur me saute au cou, m'étreint, rappelle son omniprésence. Ce bureau dans lequel je me suis réfugiée depuis trois jours est désormais ma cellule. J'y ai passé les deux dernières nuits, tout comme celle qui s'achève, à même le sol, coincée entre le mur et la grande armoire d'acajou.

J'émerge dans une brume épaisse faite de stupeur et d'effroi. Je dois avoir l'air livide, complètement folle. Pieds nus, hébétée, je rampe vers la fenêtre. Scrutant le ciel, je ne retrouve pas les plaies ouvertes dans la voûte, les sillons laissés par les lames acérées. Où sont donc passées les rigoles d'encre ? Toute cette encre, l'encre du ciel, qui dans la nuit s'est vidé, comme un ventre se vide de son sang ? Comment me convaincre que tout cela n'était qu'un rêve ?

Je m'interroge, j'essaie de comprendre cette paralysie qui s'empare de tous autour de moi. Nous faut-il simplement accepter de n'être plus que des bêtes en cage ?

Je n'attends certes pas un miracle, mais au fond de moi, j'espère que passe la fureur, que la haine s'évapore, ou que, de tous les quartiers, de toutes les villes du pays, surgisse une vague déchaînée, une colère aveugle et folle, dont le souffle les emporterait, les sortirait des souterrains de malheur où ils officient pour les conduire à la potence.

Eux, ce sont les carnassiers. Ceux qui régissent notre existence depuis les dernières élections. Ce sont les cagoulards, ceux qui guettent la nuit, comme l'alligator sa proie ; ceux-là mêmes qui m'ont fait parvenir cette enveloppe brune, dont le contenu, quelques mots tapés à la machine, six lignes à l'encre rouge, adressés à Madame la journaliste, recèle – j'aurais tort de ne pas le reconnaître – des menaces à peine voilées : « Avenue John Brown, au coin de la ruelle Berne, il y avait un petit kiosque tenu par un vieil homme qui pendant des années s'obstinait à vendre des journaux, quelques revues, des magazines sans âge. On lui avait bien expliqué à maintes reprises qu'il valait mieux vendre autre chose, des bonbons, des cacahuètes, pourquoi pas ? Il n'est plus là depuis hier, ce brave homme ne vendra plus de journaux. Et bientôt... plus personne pour les fabriquer. À bon entendeur, salut ! » Mes lèvres tremblent et semblent ne retenir qu'un rictus amer. Ce sourire qui était le mien, que l'on disait plein de lumière, s'est éteint, envolé depuis le début des hostilités. L'enveloppe avait été glissée sous la clôture. Je l'ai déchirée, pour constater, sans surprise, que la lettre ne portait ni adresse ni nom d'expéditeur. Aucun indice, donc, quant à l'identité de son auteur. Et ce vieil homme, qui parlerait désormais pour lui ? Sa mort n'a été relatée que dans un entrefilet. Quatre misérables lignes pour l'assassinat de cet ancien professeur de latin à la retraite, recyclé en marchand de journaux, retrouvé mort, une balle dans la nuque. Une enquête est en cours, a conclu laconiquement le journal.

Prenant appui sur le rebord de la fenêtre, je me redresse. Je viens d'apercevoir, en haut de la pente, la silhouette de deux automobiles, les fameuses DKW, symboles de la terreur qui s'est abattue sur nous. Elles sont postées tous feux éteints, au second tournant, sous les flamboyants.

Je sens monter en moi la fureur ; l'apparition, à cette heure indue, de ces véhicules assassins en faction près de chez moi ne me plongera point dans le désespoir, je le jure. Impossible de nier la peur, mais je lutterai de toutes mes forces contre la paralysie qu'elle entraîne. Les ouragans et les cyclones les plus meurtriers finissent par perdre en route leur violence, j'essaie de m'en convaincre. Au cours de ces derniers mois, j'ai affronté tant de peurs, je refuse de me laisser vaincre par cette nouvelle arme de la répression.

Les voitures descendent la côte et s'en vont avec leur odeur de mort. Mais la vague ne vient pas. Le jour est déjà bien installé. Tellement rauque et triste, le cri des coqs ce matin-là.

***

Reprendre mes sens. Demeurer maîtresse de moi-même. Ces phrases tournent en boucle dans ma tête, je les répète telle une ritournelle en me sermonnant : « Plus que temps de terminer cet article, tu leur fais la partie belle, parce qu'au fond ce qu'ils veulent, c'est te bâillonner, comme tous les autres. »

Je regagne ma chambre, désertée au cours de la nuit pour le bureau, à cause de la grande armoire que j'utilise comme bouclier ; en cas de tirs sur la maison, je pourrais toujours m'y recroqueviller, me dis-je. Piètre abri, sans aucun doute, mais avec un peu de chance, sait-on jamais... Je me réfugie dans mon lit, en quête de douceur au fond des draps, mais à force de tourner dans tous les sens, je me lasse. La solitude que je chéris tant emprunte soudain un visage ennemi. Lassitude immense. Tant d'efforts pour ne pas céder sous les assauts de la terreur, cet animal dont on soupçonne à peine la force derrière le mur de silence qui s'est élevé du nord au sud, de l'est à l'ouest.

Peu avant midi, sous la douche, le jet brutal et froid me secoue. Je m'arrache la peau sous les coups rudes du gant de crin. Tout pour me rappeler que je suis vivante, non pas un zombi, corps sans âme, enfermé dans cette maison qui serait ma tombe, ni une bête docile qui s'apprête à plier l'échine pour se laisser égorger sans une ruade. Pour la première fois de mon existence, je regrette de ne pas posséder une arme. Aux grands maux, les grands moyens ! Ces paroles que répète souvent Bé me font sourire malgré moi, et je me dis qu'aujourd'hui, sans hésiter, je viderais un plein chargeur en leur tirant dessus par la fenêtre. Cependant, la réalité est là, atroce. Ils ont pour eux tout l'arsenal de la brutalité, moi je n'ai que mes mots... et ma peur.

Après la douche, je m'enferme à nouveau dans le bureau, résolue à terminer mon texte. Par la fenêtre entrebâillée – j'hésite à l'ouvrir complètement – me parviennent les petits bruits familiers qui rythment cette vie qui n'en est plus une mais qui joue à faire semblant. Pendant un instant, je me laisse bercer par les voix de Judith et Steph. Leur maison se trouve à bonne distance de la mienne, mais le vent, seul à courir encore sans entraves dans ce pays, me porte leurs paroles. Cette chanson qu'inlassablement ils reprennent évoque pour moi un chant dernier, l'ultime couplet, l'image d'une enfance qui s'efface. Nous voilà parvenus en ces jours où le pouvoir arrache des nourrissons de leurs berceaux, les prive du sein maternel, les lance pour les rattraper à la pointe des baïonnettes, oblige des écoliers à assister aux exécutions sommaires. *Ma chandelle est morte, pour l'amour de Dieu. Ouvre-moi ta porte, je n'ai plus de feu.* La voix de Judith tremblote. Du haut de ses six ans, bientôt sept, Steph ordonne à sa sœur : « C'est pas comme ça, tu chantes à l'envers, crie-t-il. Recommence ! » Dans cette langueur d'un début d'après-midi, la colère enfantine de Steph se mue en ricanement et m'irrite. À présent, il rigole, car Judith zozote. Je mets de côté le texte sur lequel je planche depuis plusieurs jours, la sempiternelle question de la réforme agraire, pour traiter plutôt de l'assassinat de trois jeunes dont les cadavres viennent d'être retrouvés à Ganthier.

***

Les heures s'écoulent sous un ciel maintenant atone et lourd, une pluie fine tombe, la lumière du jour peu à peu s'efface. Envie de crier. Vomir une fois pour toutes cette tension insupportable. Je contemple le sol jonché de journaux et de papiers froissés. Une autre journée perdue. Je n'ai absolument rien écrit. Sur une page, une grande page, je trace des lettres, grasses, pleines. Passant, repassant plusieurs fois, jusqu'à percer le papier du bout de la plume, comme pour l'enfoncer dans la chair, réveiller la chair endormie du papier impassible, la faire hurler, pour que naisse, enfin, quelque chose. Et je dessine cette phrase : « Ils ont réussi pendant toute une journée à me priver de parole. » J'ai découvert, au cours de cette journée perdue, combien il est difficile de tricher avec mon corps, si vulnérable à la frayeur. Des soubresauts l'agitent de temps à autre, mes dents claquent. Rivée, impuissante, à la table de travail, les mains crispées sur les accoudoirs. Ne plus entendre le raclement de mes ongles sur le tissu damassé du fauteuil, dompter cette panique qui m'assaille.

Dans la salle à manger juste à côté, la radio, que je garde allumée nuit et jour, joue en sourdine. Un autre bulletin d'informations va commencer, avec le défilé des mêmes nouvelles horrifiantes. Ces mots, ce ton funèbre, et cette voix à la fois proche et lointaine de l'animateur exhalent avec force l'amer parfum des jours de fiel qui se sont installés dans le pays depuis... le rapt du pouvoir par les duvaliéristes. Tout le jour les mêmes dépêches : reprises, lues, relues, relayées par toutes les stations sur un ton monocorde, car bien fou celui qui oserait s'adonner sur les ondes à un semblant d'analyse ou de commentaire. Ces nouvelles que je ne peux m'empêcher d'écouter distillent en moi une colère sourde, mêlée à la frayeur, elle enfle, tel un nuage prêt à crever. Razzias, assassinats, enlèvements nocturnes, massacres, devons-nous considérer tous ces crimes odieux comme une succession de faits divers qui ne méritent ni débats ni articles de fond ? Faudra-t-il que tout le pays soit dans les fers pour enfin tirer la sonnette d'alarme ?

Je me suis promis de ne pas mettre le nez dehors avant d'avoir terminé mon texte, et j'en suis à ma troisième journée enfermée dans cette maison où je me sais surveillée.

Le téléphone hurle. Je sursaute, mon cœur s'emballe, frappe à grands coups dans ma gorge. Dans la maison vide, ce son strident me met les nerfs à vif. Une mouche bourdonne à mes oreilles. Je saisis, au lieu du combiné, une grosse enveloppe brune et poursuis l'insecte, comme s'il était mon pire ennemi. D'un coup sec, je l'abats. Sans pitié je l'écrase. Je hais les mouches !

La sonnerie du téléphone reprend, avec, on dirait, plus d'insistance. Encore Bé, qui offre de me rejoindre. Elle appelle matin et soir, propose de venir faire le ménage, me préparer à manger. « L'avocatier croule sous un amas de fruits bien dodus, et je t'ai acheté des cayimites, tes préférées », annonce-t-elle. Elle parle encore de ma sœur qui continue de rentrer à la nuit tombée. « Plus personne ne commet ce genre d'imprudences aujourd'hui », dit-elle à mi-voix.

Nous reprenons la même conversation que nous avons tous les jours. « J'ai besoin d'être seule pour écrire, Bé », je lui répète. Rien à faire. Elle ne saisit pas à quel point je suis pleine de colère ; mon estomac, mon corps tout entier, pleins à ras bord de cette colère impuissante, ne tolèrent que biscottes et jus de fruits. Elle m'avertit qu'elle viendra quand même demain. « Coûte que coûte, je serai là. J'arriverai tôt et j'apporterai un beau giraumon pour te préparer une soupe. » Bé sait qu'il m'est difficile de résister à ce potage, ce velours pour mes peines et mes angoisses. J'essaie encore de l'en dissuader. Elle raccroche sans plus m'écouter. Je crois l'entendre bougonner : « Il ne manquerait plus que ça, qu'ils nous privent du bonheur de manger ensemble ! »

Bé sera avec moi demain. Elle fera jaillir la magie des chaudrons, essaiera de recouvrir rage et peur de cette couleur orange du giraumon. Rien de plus franc.

Soudain le soir est là. Aujourd'hui encore, je n'ai pas vu les heures s'envoler, comme si l'on passait sans transition de l'aube au crépuscule. La voisine a dû mettre les enfants au lit. Leur comptine s'est tue, mais mon refrain revient : « Ne pas céder, ne pas flancher ».

« Dans la commune de Ganthier, les cadavres de trois jeunes dans la vingtaine ont été retrouvés dans un dépôt d'ordures par des enfants. Affreusement mutilés, il est impossible de reconstituer les corps », reprend-on de nouveau à la radio sur un ton morne.

Je venais de me remettre à taper et mes mains soudainement refusent de poursuivre leur tâche. Mes doigts s'arrêtent, raidis de fureur. Dans un mouvement brusque, je me lève. Ce geste brutal fait basculer la chaise, qui entraîne avec elle le guéridon ; le verre plein d'eau que je venais d'y poser s'écrase sur le sol de céramique dans un fracas terrifiant. La chute du verre, cet éclatement, quelque chose, somme toute, d'anodin, me semble si menaçant. Je retiens un cri, puis je me précipite dans la salle à manger. Insoutenables, ces nouvelles qui sèment l'épouvante. J'éteins le poste de radio pour revenir dans le bureau où je m'affaire à réparer les dégâts causés par le verre cassé avant de me remettre au travail.

Sur un coin de la table, comme un rappel, l'enveloppe brune des truands, posée au-dessus d'une pile de journaux en attente de classement.

***

Ma machine à écrire s'est remise à crépiter. Plus qu'une idée en tête : terminer. Finir ce texte avant l'arrivée de Bé.

Sommes-nous condamnés à être des témoins impuissants de cette déchéance ? Une nation à bâtir et la voilà, pourtant, faisant ses derniers pas sur Terre, dans une avilissante terreur qui la bâillonne. Aujourd'hui, nous vivons le temps des crimes perpétrés à visage découvert, l'annonce de la mort programmée, des manipulations ; ils nous enferment dans nos maisons, nous étouffent avec les cris refoulés dans nos entrailles, et nous ployons.

Mes mots vont-ils enfin s'aligner pour me rappeler que je suis plus qu'une femme entêtée macérant dans la peur ? Pendant un moment, les idées arrivent à nouveau en vagues puissantes, mon ardeur semble intacte puis, peu à peu, rien. La vague se retire. Dans mon cerveau, un tourbillon de grains de sable enraye le mécanisme. Des jours entiers de lutte avec les mots et contre l'angoisse. À présent, mes pensées sont en déroute. Il me faut pourtant terminer, sortir victorieuse du duel. Je me relève, fais les cent pas, me rassois, recommence à taper : je supprime, retranche, rêve d'une explosion de mots, qu'éclate enfin ce bouillonnement de colère, ce grondement en moi.

Une autre nuit de fiel, déjà, se profile. Elle enveloppe tout. Au dehors, les ombres projetées par les arbres se confondent avec les silhouettes des habitants en hâte vers leurs demeures. Ils n'ont pas eu besoin de décréter un couvre-feu. Le couvre-feu de lui-même s'est installé, entente tacite et perverse. Couvre-feu dans nos cerveaux, dans nos gestes, dans nos regards furtifs et nos pas feutrés. Il me faut éteindre les lampes. Ce soir, je troque la lampe à bobèche de cristal contre une bougie, à la flamme que j'espère plus discrète. C'est Toni, ma voisine, et vieille amie de Bé, qui me l'a conseillé. Je me cale contre la grosse armoire, sur un sac de couchage et deux oreillers.

Réveil brutal dans l'obscurité : un cri perçant, aigu, suivi de gémissements ranime en moi des douleurs lointaines. Une femme en gésine au bas du morne. Qui viendra à son secours ? Il n'y a ni ambulance, ni médecins, ni clinique dans les alentours. Que des soldats et des miliciens. Je tâtonne en quête d'allumettes, j'en frotte une, mais la chandelle s'est consumée, elle n'est plus qu'un petit tas de cire durcie au fond de l'assiette, et je pense à la peur, noyau de plomb, durci dans nos entrailles.

***

Sept heures trente du matin. Bé arrive avec son giraumon, déjà pelé, coupé en morceaux, annonce-t-elle d'une voix haut perchée, comme pour faire éclater le silence. Que le giraumon occupe tout l'espace, qu'il illumine la maison de son jaune éclatant ! Elle exhibe un sac de plastique plein de cette chair couleur papaye, puis elle me prend dans ses bras. J'entends son cœur marteler. Elle a dû croiser en route les véhicules des carnassiers. Ils l'ont à coup sûr contrainte à sortir de l'auto pour la fouiller. Inutile de poser des questions, elle ne dira rien par crainte de me voir exploser. Qui cherche à épargner qui ? Je ménage Bé à cause de son grand âge, et elle, de quoi me protège-t-elle ? Elle prétend qu'elle doit me protéger de moi-même. Cette phrase me jette toujours dans la confusion. Contre la poitrine de Bé, je me sens si bien. Encore un peu, je m'endormirais. Je hume l'odeur de sa peau, de ses cheveux, ces mêmes effluves depuis toujours, depuis l'enfance, le savon Camay, le même savon, inscrit dans ce temps qui est le nôtre ; un parfum d'avant l'horreur, une odeur précédant le désastre. À quoi pense Bé ? La voilà qui s'écarte de moi puis, d'une voix tout à coup chevrotante, elle déclare : « Ce sera délicieux ! » Puis elle me met sous le nez un contenant de métal, plein de légumes frais : poireaux, navets, carottes, céleri. Le parfum piquant de l'oseille embaume la cuisine, rappelle à la vie. J'essaie de me laisser prendre au jeu, mais l'angoisse me rattrape. À présent, Bé parle à peine, elle va et vient à petits pas. « Tu peux oublier ma présence, je ne t'empêcherai pas de travailler », déclare-t-elle sur un ton qui ne permet nulle réplique.

De retour dans le bureau, j'entends le tintement familier des tasses et des cuillères, puis les effluves de café frais moulu, tel un écho, se propagent dans toute la maison. Bé me porte ce café, préparé très fort, comme je l'aime. Elle tient sa tasse des deux mains, fermement, et je devine qu'elle essaie de contenir une sorte de tremblement. Bé s'assoit face à moi. Je contemple ses traits tirés ; son fard à joues, appliqué ce matin à la hâte, s'étale, plus rouge d'un côté que de l'autre. Pauvre petit Pierrot si triste, je pense en la regardant. Je la vois plus minuscule chaque jour, fripée, ratatinée dans son impuissance. À petites lampées, je savoure avec reconnaissance. Nos regards se croisent, j'essaie de détourner le mien, et je me mets à fixer le fond de la tasse que le café a taché. Je ne veux pas entendre parler une fois de plus de sécurité. Bé l'a deviné. Elle vide sa tasse, se lève, resserre son tablier qui glisse sur ses hanches amaigries, hausse les épaules et retourne à ses chaudrons.

Un peu plus tard, je l'entends farfouiller dans son sac à main, des pièces de monnaie roulent sur les carreaux, elle a dû faire tomber son porte-monnaie. Combien de temps je demeure là, assise, la tasse entre les mains ? La voilà qui rapplique : « Tiens, fait-elle, affichant un air de triomphe, je croyais l'avoir égarée. » Elle déplie une coupure de presse vieille de quatre ans. Il y est question de Mika Pelrin, « cette femme exceptionnelle et résolue, qui exerce avec une passion peu commune et un engagement sans fard la profession de journaliste dans ce pays où l'on confond trop souvent ce métier avec la dévotion envers les dirigeants ». Je relis avec étonnement ces phrases rédigées par un confrère à l'occasion de la remise d'un prix qui m'avait été décerné par l'association des journalistes. « Si l'engagement est toujours présent, la passion s'érode, Bé », lui dis-je. Comment garder vivant ce feu alors que le journalisme n'est plus qu'une auge dans laquelle patauge une bande de fauves, attirés par l'odeur de charogne qui émane du pouvoir ? En ces temps de toutes les dérives, la pratique de ce métier, pour ceux qui s'y livrent encore avec liberté et indépendance, prend l'allure d'un combat à l'issue fatale. Aujourd'hui, on remplacerait aisément passion et engagement par le mot « témérité », je le sais. N'est-ce pas ainsi d'ailleurs que nombre de gens me définissent ? Ce qu'ils devraient dire, pourtant, est beaucoup plus simple : « Mika Pelrin, une citoyenne ordinaire, qui veut vivre les yeux ouverts. » Est-ce pour cela que je découvre partout des dangers jusqu'ici insoupçonnés ? Je demande à Bé ce qu'elle en pense. Elle s'empare des tasses, pour s'enfuir à nouveau dans la cuisine, mais elle est aussitôt interceptée par Toni qui, fidèle à son habitude, gratte trois fois à la porte.

Bé l'avait prévenue de son arrivée ; sans délai, elle accourt voir son amie, avec ses secrets, ses prières – Bé dit « ses horribles messes basses », et ne croit pas si bien dire.

À peine arrivée, Toni relate avec consternation l'incendie violent qui a détruit de fond en comble une église magnifique, celle des Saints-Martyrs dans le quartier de Babiole. Clara, sa fille, revenant du travail hier, a littéralement assisté à la destruction de l'église. Les autorités, explique une Toni volubile, accusaient depuis quelque temps le curé breton, le père Quemener, qui vit sur l'île depuis plus de quarante ans, d'y abriter des *kamoken*, des opposants. Depuis la route, au début, Clara ne pouvait voir les flammes, mais elle comprit qu'il s'agissait d'un incendie à cause de la fumée qui obscurcissait tout, puis cette odeur de pitchpin vieilli, qui émanait du bois. Lui parvenaient aussi les voix des badauds, nombreux et incapables de contenir leur indignation. Au fur et à mesure qu'elle avançait, elle entendait les grondements des murs qui s'effondraient, puis elle vit s'élever d'immenses gerbes d'étincelles. Lorsque lui parvint l'horrible rugissement du brasier qui avalait tout, les flammes s'élançaient en langues rougeâtres vers le ciel.

Sidérées, Bé et moi gardons silence. Ce pays, je le sens, ne sera plus bientôt que ruines et lamentations.

Construite en pierre taillée, l'intérieur de l'église était fait d'assao et le parquet, d'arouna, des bois précieux amenés de Guyane, ce dont les paroissiens étaient tellement fiers, et on venait de partout au pays admirer les vitraux qui paraient ses trois nefs, œuvre d'un artisan formé par les maîtres Lassus et Didron. Considérée comme faisant partie du patrimoine architectural de la Caraïbe, c'était, à n'en pas douter, une des plus magnifiques et anciennes églises du pays.

Une imposante haie de cactus aux troncs couverts de longues épines acérées entourait la bâtisse. Ils avaient été plantés, disait-on, pour mieux protéger l'édifice. Ces arbres étonnants, une espèce rare originaire de Madagascar, se paraient deux fois l'an d'immenses fleurs couleur fuchsia. Hélas, le curé Quemener, qui, paraît-il, s'était enfui la veille, devait bien savoir que ni ses prières ni les cactus ne lui garantissaient une quelconque protection.

— Je n'ai pu m'empêcher d'aller voir de mes propres yeux ce qui reste de l'église après ce sacrilège, poursuit Toni. Alors...

— Alors, quoi ? Ne dis pas que tu y es allée ? l'interrompt Bé, incrédule.

— Tôt ce matin, j'y suis allée. Je n'ai pas pu résister à la tentation. J'en ai profité pour faire un bout de chemin avec Clara, explique Toni. Un vrai désastre !

Dans un geste d'impuissance et de désespoir, Toni lève les bras au ciel, sort de sa poche un grand mouchoir froissé, se mouche bruyamment. « Impossible de ne pas pleurer : pans de murs effondrés, statues carbonisées éparpillées au milieu des décombres, et tous ces cactus, calcinés. »

Les lèvres tremblantes, elle renifle et commence à bégayer : « Qu'avons-nous fait ? Bé, qu'avons-nous fait au ciel pour vivre de telles horreurs ? Tous ces troncs d'arbres alignés, avec leurs épines noirâtres, leurs branches comme des poings noircis levés furieusement vers le ciel font penser au squelette de quelque monstre préhistorique », termine-t-elle, d'une voix de tragédienne, un sanglot dans la gorge.

Et voilà Bé, pour une fois, muette. Elle regarde Toni d'un air presque effrayé. En écoutant le récit terrifiant de son amie, elle doit se dire que la vie s'en va au grand galop, bientôt tout sera fini, doit-elle penser. La voix rauque de Toni, ses sanglots étouffés, pénètrent quelque part au fond de moi et commencent à me hanter. Tant de désarroi dans cette voix, je pense : combien sommes-nous sur cette île à réprimer ainsi nos sanglots ?

***

Comme par défi, à midi, nous nous installons sur la terrasse pour manger. Bé a sorti une nappe en lin, des coupes de cristal. Le vert tendre de la limonade, les napperons brodés, les fleurs – elle a placé deux hibiscus charnus dans un verre –, tout pour rappeler que l'amour et la beauté existent encore. « Feras-tu honneur à ma soupe, Mimi ? Une semaine sans te voir et te voilà déjà rien que les os et la peau. » Je souris. Elle secoue vigoureusement la tête. « Ce n'est pas bien, poursuit-elle, chagrine, ton sourire ne me trompe pas. »

L'arôme enivrant du potage – Bé s'est surpassée –, le bruissement des feuilles dans l'air tiède du midi, tout ça, c'est la vie, et devrait contribuer à rendre les gens heureux, me dis-je, alors que je la regarde qui soupire après chaque bouchée. « Il est rare que je puisse manger après avoir fait la cuisine, s'excuse Bé. Tu le sais, Mimi. »

Je ne réponds pas mais je sais qu'il n'en est rien. Ce potage est son plat préféré. Je me force pour ma part à terminer mon assiette et Toni, d'ordinaire si gourmande, mange à peine.

Vers la fin du repas, Bé annonce que Jean-François viendra la chercher pour la ramener chez elle.

— Te l'ai-je dit, Mimi ? C'est lui qui m'a conduite ici ce matin. J'aurais mis trop de temps dans un transport public. Un brave garçon, dit-elle encore, travailleur comme pas un et toujours si courtois.

Brusquement elle rapproche sa chaise et se met à chuchoter :

— J'ai complètement oublié de t'en parler, Mika. Il m'a confié que son père en avait assez d'être au chômage, et a rejoint les Volontaires de la Sécurité nationale, ces bandits en uniformes bleu et rouge. Un de plus, me suis-je dit simplement.

— Comment, vous n'étiez pas au courant ? s'anime aussitôt Toni, dont le silence commençait à m'inquiéter.

Bé sursaute et lui enjoint de baisser le ton.

— Une autre des recrues de Lafontant ! reprend Toni, la voix toujours haut perchée.

Bé jette autour d'elle des regards inquiets tandis que Toni renchérit :

— Une crapule finie, ce Lafontant. C'est lui, dit-on, qui opère dans la zone de la Montagne Noire. Et sa fierté, c'est d'avoir troqué ses livres de médecine contre les armes distribuées par Duvalier. Tu dois certainement en avoir entendu parler, Mika ?

Je fais signe que oui.

— Mais il n'est pas le seul, leur dis-je, à céder au chant des sirènes. Et c'est bien là le drame.

— S'il y a une justice en ce monde, se met alors à marmonner Toni, ils devront être punis, ceux-là, ils devront être durement châtiés, pour tout ce mal qu'ils font au pays.

Elle se signe. Bé la toise, puis se remet à manger sans entrain, avant de repousser son assiette. D'un air navré, Toni regarde son amie en hochant la tête. Je vois alors son visage se creuser, comme si la douleur de Bé, soudain, la traversait.

— Tiens, lui dit-elle, au bout d'un instant, détends-toi un peu, Béa chérie. Laisse-moi te conter un autre épisode des aventures de mon cher frère Apollon !

— Encore lui ?

— Le même ! Mon frère cadet, je n'en ai qu'un et je le nommerai ainsi jusqu'à ma mort, parce qu'il est aussi beau que le cul d'un macaque, déclame Toni.

— Ce qui ne l'empêche pas de collectionner les maîtresses, ajoute Bé, mais venons-en au fait.

— Apollon, commence Toni, se trouve à l'hôpital Saint-François de Sales, envoyé par Zaza.

— Que veux-tu dire, envoyé par Zaza ?

Toni voit passer dans les pupilles de son amie une lueur d'amusement. Encouragée, elle enchaîne :

— Il y a moins d'une semaine, notre chère Zaza a accueilli Apollon à la boulangerie par une grêle d'œufs.

— Une grêle d'œufs ? s'esclaffe Bé.

— Comme tu l'entends, mon amie. Les œufs ? Une arme redoutable d'après Zaza ! Surprise et K.O. assurés, riait-elle en me contant tout cela. Apollon, semble-t-il, s'était présenté à la boulangerie avec son arrogance coutumière, pour contrôler la caisse. Comme si cela ne suffisait pas, il s'est mis à enquêter, à poser des questions, puis à menacer Zaza au sujet des dettes non remboursées de certains clients.

— Les recettes ne correspondaient donc pas aux attentes du superviseur autoproclamé ?

— Nous y arrivons, fait Toni, tandis que d'un geste de la main elle demande à Bé de se taire. Mais ne voilà-t-il pas que contrairement à ses habitudes, ce jour-là, Zaza sort de ses gonds. Possédée par un démon, elle s'empare d'un panier d'œufs qu'elle venait d'acheter pour confectionner ses gâteaux, et vlan, vlan, re-vlan! Sans laisser à l'Apollon le temps d'esquiver, ni prendre elle-même, tu t'en doutes bien, le temps de souffler. En un battement de cils, voilà Apollon fait, défait. Notre commandeur se retrouve les fers en l'air, un fémur cassé.

— Comme quoi, il faut savoir se servir des armes que nous avons à notre disposition, hoquette Bé, morte de rire. Je ne cesse de le répéter.

Un concert de gloussements entrecoupés de toussotements clôt le récit de Toni tandis qu'entre deux hoquets, Bé insiste:

— Mais il doit certainement y avoir autre chose, ne crois-tu pas?

— La liste des griefs de Zaza contre Apollon est bien longue, reprend Toni, qui s'essuie les yeux. Non content de vivre de la boulangerie sans mettre la main à la pâte, Monsieur se montre arrogant. Une chose est certaine, Bé, la sagesse n'est pas toujours le fort des chasseurs. Trop souvent ils font montre de hardiesse et oublient qu'il y a aussi un jour pour le gibier! Et puis, entre toi et moi, le fémur cassé d'Apollon aujourd'hui c'est le cadet de mes soucis!

Les deux femmes rient encore à en mourir. Je les laisse à leur hilarité et à leurs commérages, le temps d'une sieste, et à mon réveil, une heure plus tard, Toni n'est plus là. Son départ est suivi par celui de Bé que Jean-François revient chercher. À son arrivée, il me salue. Poli, il demeure sur le seuil de mon bureau, tandis que des yeux il dévore les livres qui encombrent la bibliothèque. Une jeunesse assoiffée de savoir, et tout ce qu'on trouve à lui offrir: des armes... Je pense à tout cela en le regardant, si jeune et déjà si plein de découragement et de désillusion.

Il m'offre ses services pour mes courses, propose de me véhiculer, même de nuit, s'il faut sortir pour une urgence. « C'est plus prudent. Les gens sont englués dans la peur. Et Dieu sait qu'ils ont raison », murmure-t-il, une tristesse infinie dans le regard.

***

Aujourd'hui encore, je n'ai pas vu passer le temps, à cause de la présence de Bé et des bavardages de Toni. Je tente de mettre un peu d'ordre dans la cuisine après leur départ. Retour difficile au réel, dans cette maison maintenant plus silencieuse que jamais. Même cet oiseau bavard, qui, tout l'après-midi, s'est égosillé dans les branches de l'amandier, me prive de ses trilles à présent que le soir arrive. La visite de Bé m'a quand même fait du bien, j'essaie de travailler avec un peu plus d'entrain.

Nous savons que rien ne fera reculer ces charognards qui prétendent diriger le pays. Aurions-nous déjà oublié que plus d'une quarantaine de morts et de nombreux blessés ont été recensés en moins de deux semaines uniquement à Ganthier ? Le pays entier aurait dû anticiper ce qui se confirme depuis ces derniers mois ; ces massacres à la chaîne avaient été annoncés avant même l'installation des carnassiers au palais. Malheureusement, les milliers de morts du Bel-Air, de Saint-Martin, de La Saline et des autres quartiers populaires, qui, à la veille des élections, avaient pavé la route pour les y conduire, sont déjà chose du passé. L'important, croit-on, est d'oublier pour survivre. Mais nous sommes tous conscients que cela est impossible. Ces derniers événements, au cours desquels l'armée et les miliciens ont sans hésitation tiré au milieu d'une foule d'étudiants – puis aujourd'hui, ces cadavres que l'on vient de découvrir –, ne laissent point de doute : ils ne s'imposent aucune limite. Rappelons-nous toujours les paroles ignobles lues au lendemain de cet assaut contre les étudiants, sous la plume du rédacteur en chef du journal officiel : « Les parents de cette jeunesse écervelée n'avaient qu'à leur enseigner le respect de l'autorité. À présent, il ne leur reste plus qu'à pleurer leurs morts. »

Combien de larmes d'impuissance allons-nous verser ? Ce matin encore, transis de peur, nous avons tous écouté les radios dénombrer de nouvelles victimes à Bainet, à Jacmel, à Saltrou, à Plaisance et Cazale ; des habitants ont eu la mauvaise surprise de se réveiller pour trouver sur les portes de leurs demeures des croix tracées au goudron et au sang. Et ce n'est plus un secret pour personne que pas moins de cinq salles de torture viennent d'être installées, dotées des équipements les plus sophistiqués, dans les sous-sols du palais présidentiel, en plus de celles qui se trouvaient déjà aux Casernes Dessalines et au pénitencier national. L'Homme de la situation, le Père de la nation, le Guide suprême, le Leader incontestable de la révolution, l'Apôtre de l'Unité Nationale, le Digne Héritier des Fondateurs de la Patrie, ainsi qu'il se nomme lui-même, a bien tenu la bride. Très rapidement, il a su, à la satisfaction des maîtres du monde, mater les indociles, enfermer une kyrielle d'opposants, assassiner des milliers de récalcitrants, exiler des centaines de citoyens. On le récompense aujourd'hui en lui fournissant de nouvelles armes.

L'installation de ces salles de travail – cynique euphémisme employé dans le milieu – a été rendue possible en grande partie grâce à la générosité sans bornes du gouvernement des États-Unis d'Amérique, avec l'appui, sur le terrain, d'anciens éléments nazis réfugiés dans l'île au lendemain de la dernière guerre, heureux de reprendre du service. Ces assassins en service commandé se retrouvent dans ces salles, surtout la nuit, pour s'adonner à leurs basses besognes: bastonnades et interrogatoires, mutilations sauvages. Cris et gémissements des suppliciés se font entendre jusqu'aux confins du Morne l'Hôpital et au-delà.

L'assassinat de ces trois jeunes constitue une nouvelle tentative d'intimidation, destinée à museler une jeunesse qui commence à se manifester par des grèves étudiantes et autres actions. Le pouvoir entend donc bâillonner tous ceux qui s'élèvent contre ces crimes, mais le pouvoir devra comprendre que nous ne cautionnerons jamais l'arbitraire et la répression. Quant au peuple, il devrait se dire qu'il est plus que temps, désormais, de faire basculer la peur dans l'autre camp!

Une fois le texte achevé, j'ai un mal fou à m'arrêter sur un titre et je commence aussitôt à me tourmenter à propos de la réception qu'on lui réserve au journal.

La nuit qui se déploie ressemble étrangement à toutes les autres qui l'ont précédée ces derniers mois. Elle arrive avec son cortège de mystères et d'ombres menaçantes. Au loin, des chiens aboient, brisant le silence. Eux seuls refusent le bâillon. Ils savent d'instinct qu'il faut mordre pour repousser l'attaquant. Un tourbillon d'impatience, une sorte d'affolement à l'idée de ce silence complice qui étrangle le pays, m'enlève toute envie de sommeil. Je sais fort bien que ce n'est pas d'hier que ces bourreaux affûtent leurs couteaux. J'étais dans leur collimateur avant leur arrivée au palais présidentiel. Aux premiers jours de nos actions réclamant pour les femmes de ce pays l'exercice du droit légitime de voter, j'étais sur leur liste. Quelle ironie, malgré tout, comment croire que nous allions poser ce geste important pour la toute première fois pour aboutir à des élections trafiquées qui allaient porter au pouvoir cette sale engeance ? Et c'est certainement à cause de mes textes qui rappellent justement ces élections détournées, et dans lesquels je fustige sans appel ceux-là qui encouragent la population à faire l'autruche, que s'est déclenchée cette offensive contre moi. Le rédacteur en chef me l'a bien fait comprendre : « Ne t'étonne donc pas si tu te sens mise à l'index ! »

J'ai conscience de ma faiblesse, et la solitude me pèse. Mais je préfère cette traversée du désert à la capitulation. Mon navire prendra certainement des coups terribles, il tanguera, mais la tempête finira bien par passer.

***

Je pense tout à coup que l'étroit sentier qui monte jusque chez moi est bordé par un ravin profond qu'aucune haie ni rambarde ne limite. Je vis dans cette maison depuis tant d'années, jamais ce chemin ne m'avait paru receler quelque danger, même en saison des pluies. Maintenant, tout a changé, les dangers sont partout. Nous sommes tous devenus des êtres dangereux : pour nos voisins, pour l'État, pour nous-mêmes. Nous nous espionnons, on nous espionne, nous nous ignorons, des voisins que l'on croyait devenus des parents ou des amis se détournent à notre approche. Est-ce un hasard si les Deprez, mes voisins depuis près de vingt ans, ont quitté leur maison le mois dernier sans me dire au revoir ? J'en ressens un malaise profond chaque fois que j'y pense. Pedro Deprez, lui qui ne pouvait garder ses distances face au tourbillon d'une jupe, lui que j'avais dû repousser tant de fois, parti à la cloche de bois ? C'est à n'y rien comprendre. J'entends sa voix sirupeuse, son haleine sur mon cou – il s'était approché sans faire de bruit un après-midi où je me trouvais attablée à la terrasse des Trois Marie, sirotant une bière. J'avais senti quelqu'un me regarder avec insistance, mais j'avais hésité à me retourner. Il se pensait irrésistible, avec sa démarche de jeune premier, sa peau couleur cannelle, sa moustache soyeuse et ses cheveux noirs luisants. Il s'était avancé, s'était penché en prenant appui sur le dossier de ma chaise, j'avais frémi. Sans ambages, il m'avait proposé un week-end à Amany-les-Bains, me disant que sa femme était en voyage. Il avait posé une main trop chaude sur mon bras. J'avais déposé mon verre, et croisé les bras pour le regarder. Il avait fini par baisser les yeux, avait gauchement remis en place son panama et il était parti sans un mot de plus. Le parfum de son eau de toilette m'avait accompagnée jusqu'au soir. J'imagine qu'un tel étalon se faisait rarement éconduire ; quelques semaines plus tard, il revenait à la charge. Il devait croire que je n'étais pas tout à fait insensible à ses charmes. Comme tant d'autres, il a certainement quitté le pays.

Prudente, je m'accroupis de façon à ne pas être vue du dehors. Les doigts posés sur l'encadrement de la fenêtre, je scrute la nuit comme si je voulais lui dérober ses secrets. Un vent léger effiloche quelques nuages qui obscurcissent le ciel, cachant de temps à autre la lune. J'admire, là-haut, le disque argenté qui glisse, languide, dans un amas de nuages. La lune baigne dans l'eau. Et nous, voilà que nous baignons, chaque jour un peu plus, dans l'incertitude, nous baignons aussi dans ces crimes que nous cautionnons par notre silence et notre lâcheté.

Tout autour de la maison, je sens des ombres, des voix sans visage, autant de monstres qui rôdent, et le silence, jusqu'au silence qui semble être devenu une chose affreuse, inquiétante. Le silence devient le danger le plus grand, l'ennemi sournois des habitants de ce pays. La nuit amplifie tous les bruits, car me parvient à présent le bêlement plaintif d'un enfant, terrassé sans nul doute par la faim, incapable de s'endormir. Je continue à scruter en vain l'obscurité. Rien que le silence. Je tends encore l'oreille, à l'affût, haletant au moindre souffle du vent, me demandant si mon ombre ne finira pas par me faire peur.

Je pense à mes enfants. Soledad, l'aînée, la plus fougueuse, poursuit des études à l'étranger, en Espagne. Depuis ces bouleversements, je bénis son départ, mais il n'en a pas toujours été ainsi.

— Comment penses-tu t'épanouir dans un pays dirigé par un homme nommé Francisco Paulino Hermenegildo Teódulo Franco y Bahamonde? lui disais-je encore, mi-horrifiée, mi-plaisantant, l'an dernier.

Hardie, elle avait répliqué:

— Il aurait tout aussi bien pu se nommer Petit Jésus, cela n'aurait pas changé grand-chose. J'aime l'Espagne pour ce qu'elle est, j'aime son ciel et c'est là que je veux vivre, avait-elle martelé.

— Mais ce pays, Soli, se trouve sous la coupe d'un abominable tyran, tu l'oublies?

Elle s'était mise alors à énumérer:

— Tacho Somoza au Nicaragua, assassin de Cesar Augusto Sandino, grâce à la protection de Washington, se trouve au pouvoir dans ce pays depuis 1936. Getulio Vargas, qui a instauré au Brésil ce qu'il nomme, ironiquement, l'État nouveau, mais qui n'est au fait qu'une dictature abominable...

Elle avait poursuivi, citant l'Argentine, puis le Paraguay, mis dans les fers par Stroessner. Et moi, j'étais loin de me douter, alors qu'elle m'en fournissait les clés, que nous allions connaître, nous aussi, une des dictatures les plus sanguinaires de l'Amérique.

Il émane de Soledad une force tranquille alliée à une témérité, une hardiesse calculée qui ne cesse de m'éblouir et de me surprendre. Si elle vit en Espagne, dit-elle, c'est parce que le ciel en a décidé ainsi.

Félix et les benjamines se trouvent depuis quelque temps en ville, chez ma sœur Clarisse. Il leur est ainsi beaucoup plus facile de se rendre en classe. Ils ne doivent pas savoir où donner de la tête avec les débordements de Clarisse, qui constituent, il est vrai, une source d'inquiétude non négligeable. Je rage en me demandant combien de temps je vais demeurer enfermée.

Dans l'épaisseur de la nuit, dehors, un bruit sourd. Je me recroqueville, tremblante de peur. Plus rien. C'est sans doute un fruit tombé dans la cour, une papaye énorme, peut-être. Je demeure pourtant figée, désemparée. Rien d'autre ne parvient à retenir mon attention, rien d'autre n'existe en cet instant précis que cette peur insurmontable, là, dans mon ventre, cette chose monstrueuse qui grignote mes nerfs et me ronge le sang. Je me glisse le long du mur sans faire de bruit, je me rencogne contre l'armoire dans une position un peu plus confortable, je compte les minutes, suivant le tic tac de l'horloge, m'apprêtant à passer une autre nuit, terrée comme un animal aux abois, contre ce meuble froid, sans recours, à attendre ceux-là qui ne manqueront pas tôt ou tard, aujourd'hui ou demain, de venir me demander des comptes.

La haine plein les veines

Plus que jamais, en ces nuits d'effroi, je prends la mesure de ma solitude. Ni appui ni grâce à espérer de quiconque, je le sens. Pour un voyageur égaré dans le désert, le silence doit ressembler à cette sorte d'absence, lourde, pesante, une absence au monde, effroyable, un peu comme une mort trop lente. Ne m'a-t-on pas dit que j'ai la plume bruyante, que mon refus des interdits et ce démon de la rébellion que je m'obstine à chevaucher me perdront? Ces mises en garde cachent bien mal des menaces, et je me rappelle qu'elles viennent de Julio. Julio Séraphin, ce cousin, que j'ai tenu en grande estime pendant longtemps. Une appréciation due sans nul doute aux manières affables qu'il affiche, à cette faconde qui est son fonds de commerce, cette façon doucereuse qu'il utilise pour se faire accepter. Comme bien d'autres, j'ai été bernée. J'ai compris trop tard que c'était pour lui une manière habile de répandre ses idées les plus réactionnaires.

Étrangement, la pensée de Julio ne me quitte plus. Pourquoi, lui d'ordinaire si assidu, n'a-t-il pas donné de ses nouvelles depuis près d'un mois? Peu à peu, une sorte d'affolement s'empare de moi, m'étreint, comme si je recevais soudain un message brutal, émanant d'une source obscure. Impression d'approcher un mystère? Julio! Une avalanche d'images devant mes yeux: une voix, les pans d'une conversation pour le moins étrange dont j'ai sous-estimé l'importance – je m'en rends compte en ce moment – me reviennent. Nous étions un vendredi soir, l'anniversaire de Charles-Émile. On venait de passer à table. Nous n'étions que six, avec Félix et les jumelles, car la peur, déjà, clouait les gens chez eux le soir. Les enfants se trouvaient au salon, disputant une partie de Monopoly et nous traînions, Julio, Charlot et moi, à la cuisine. Tout à coup, Julio, qui, comme chaque vendredi soir, mangeait avec nous, s'était rapidement levé de table pour s'éclipser tout en s'excusant, l'air embarrassé. Un coup de fil très urgent, avait-il précisé. Sur les lèvres, son éternel sourire figé. Son absence avait été brève, mais lorsqu'il était revenu se joindre à nous, j'avais noté son regard enfiévré.

Comme à l'accoutumée, Charlot ce soir-là pavoisait, dégoisait, s'écoutait parler dans une douce béatitude, après avoir englouti à lui seul près de la moitié du litre de whisky. Lorsque Julio était revenu nous retrouver à table, la soirée avait repris dans une atmosphère plus ou moins trouble. Remarquant son air préoccupé, j'avais essayé de lui manifester de l'intérêt tandis que lui s'efforçait visiblement de contenir un accès de mauvaise humeur.

« Des soucis, cousin ? » avais-je demandé. D'un geste rude de la main, il avait balayé ma question. J'étais embarrassée à cause de ce geste grossier. Je me rappelle m'être levée pour ramasser les assiettes ainsi que le verre vide de Charlot, espérant ainsi mettre un frein à sa soif. Julio, qui suivait mes gestes, m'avait alors lancé :

— Les soucis sont certes moindres, cousine, lorsque la table est servie quotidiennement, les assiettes remplies, les verres pleins de tous les élixirs que la vie nous offre.

Les soucis appartiennent à ceux qui portent semelles et bas troués, ceux qui n'ont pas pu faire de longues études, ceux qui n'ont même pas besoin de poches puisqu'ils n'ont rien à y mettre.

Il avait ricané en poursuivant :

— Il ne suffit certes pas de jeter sur papier quelques slogans creux ou de critiquer à tort et à travers pour faire changer les choses !

Je l'avais écouté jusqu'à la fin, sans l'interrompre, j'étais incapable de répondre quoi que ce soit sur le moment. J'avais par la suite envisagé de prendre rendez-vous avec lui pour discuter de sa situation économique puis, craignant de le froisser, j'avais abandonné l'idée.

Des minutes d'embarras, palpable, puis la voix de Charles-Émile, en éternel philosophe, rayant affreusement le silence qui s'était fait, avec ses accents d'ivrogne :

— Cher, cher Julio, hoquetait Charlot, nous nous croyons maîtres de notre vie, nous nous en disons maîtres, hélas, nous n'avons sur notre existence aucun contrôle !

Charles-Émile avait asséné un coup de poing sur la table, comme pour donner plus de force à ses propos. Le tintement de la vaisselle s'était prolongé, le liquide ambré dansait dans les verres, et dans la nuit, le grincement des grillons paraissait arrêté, car la voix de Julio, soudain, occupait tout l'espace.

— Tu ne crois pas si bien dire, raillait-il, son ton aigre cachant mal sa colère. Si les nantis de ton espèce n'ont aucun contrôle sur leur existence, imagine ce qu'il en est pour ceux qui se lèvent et attendent chaque jour l'arrivée du pain qui jamais ne vient !

Combien de fois, Soledad, si jeune et si perspicace, plus lucide que nous tous, avait jugé bon nous mettre en garde contre Julio. « Il a la haine plein les veines, disait-elle à chaque fois qu'elle le croisait, il pue la haine tout comme un ivrogne pue l'alcool. » Ce soir-là, tandis que Julio parlait, je l'observais : la mâchoire crispée, il serrait et desserrait les poings cependant que Charlot, qui déjà ne l'écoutait plus, se dirigeait vers l'office en quête d'un autre verre. Étonnée, j'avais vu Julio lui jeter un regard d'une hostilité sans pareille et, tout en s'efforçant de demeurer calme, son ton était plus tranchant que le plus tranchant des rasoirs. Il avait poursuivi à l'adresse de Charlot, lorsque ce dernier était revenu, avec à la main un autre verre plein de whisky dans lequel tintaient des glaçons :

— À ta place, cousin, je chercherais rapidement l'adresse d'un barbier pour me faire faire une tonte. Qu'espères-tu cacher derrière cette broussaille qui te mange le visage ? Il est bruit que dorénavant les chalands ne vont pas se contenter de ramasser uniquement des vagabonds, des clochards. Tout ce qui de près ou de loin sort du rang trouvera sa place dans ces véhicules pilotés par les hommes aux lunettes noires. Ils vont donc nettoyer le pays de tous les barbus et je n'aimerais certainement pas qu'il t'arrive malheur. Ils ne vous enverront pas à la Sierra Maestra, fais gaffe ! Que crois-tu ? Que ces halliers qui parent ton visage te font l'air dur et viril ? Dureté et virilité sont des ornements du dedans, mon ami. Et puis, soit dit en passant – il avait baissé la voix et adopté un air de conspirateur –, je vous fais part en toute modestie de mes analyses. La crainte de toute contagion révolutionnaire dans cette zone de la Caraïbe est telle que les États-Unis, qui ne vont jamais lâcher Cuba, mais aussi la France, qui pour rien au monde ne laissera tomber ses possessions, Guadeloupe, Martinique, Guyane, préfèrent avoir le diable en personne au pouvoir dans ce pays plutôt que de voir Haïti suivre l'exemple cubain! Nous avons intérêt à être réalistes!

Grand, en effet, était mon étonnement, ce soir-là, en écoutant parler Julio; la véhémence de ses paroles me glaçait. Il avait jeté à Charlot un dernier regard empreint de dédain et dans lequel j'avais vu toute la hargne du monde, celle d'un petit bourgeois frustré, dangereux.

Julio parti, j'avais tenté de reprendre avec Charlot les détails de cette étrange scène, mais il n'aspirait qu'à dormir, cuver son whisky. Je n'avais pas fermé l'œil de la nuit. Dans ma tête, les menaces de Julio, sa voix, un sifflement presque strident. Cette nuit-là, j'avais rêvé de vipères et de monstres terrifiants. Le lendemain, de nouveau, mes tentatives étaient restées vaines:

— Crois-tu que nous ayons nourri une vipère dans notre sein?

— Un autre de tes délires paranoïaques, ironisa Charlot. Julio est un être aigri comme tant de gens dans ce pays. Ne sais-tu pas que la misère peut racornir les cœurs les plus tendres?

J'avais haussé le ton.

— Les gens frustrés et jaloux sont dangereux, Charles-Émile, je hurlais presque ce matin-là. Ne le comprends-tu pas? Oublies-tu que Julio a encore en sa possession les clés de la maison? Je t'aurai prévenu.

— Et après? Il a vécu ici plusieurs mois après tout! Et puis, tu me préviens de quoi?

— Nous n'aurions jamais dû lui laisser les clés.

Je me rappelle combien grande était mon inquiétude, tandis que Charlot, comme à l'accoutumée, balayait mes arguments.

— Julio n'est qu'une andouille qui joue à l'intello, ricanait Charlot. Et dis-moi donc ce qui te prend tout à coup de nourrir une telle crainte à son endroit ?

Je le regardais qui enfouissait une banane presque entière dans sa bouche. Chaque repas était pour moi l'occasion de me demander ce qui avait bien pu m'attirer chez cet homme.

— D'ailleurs, poursuivait-il en faisant tinter sa cuillère à café et tachant la nappe, pourquoi moi ? Pourquoi est-ce que, moi, j'aurais dû prendre l'initiative de lui demander les clés ? N'est-il pas ton cousin après tout ?

Tout me revient avec une telle netteté. Je me sentais dévastée, prise dans un dilemme. Comment, me demandais-je, aborder cette situation qui n'était plus du tout une affaire de suspicion ni d'intuition mais plutôt une menace réelle que je n'arrivais certes pas à expliquer de façon précise mais que je sentais peser lourdement sur nous ?

Charles-Émile s'était tu. Il avait poussé la tasse de côté, pour étaler son journal sur la table. Je savais qu'il faisait mine d'être absorbé par sa lecture, croyant ainsi détourner l'orage. Il parcourait sans enthousiasme les pages de cette feuille de chou au service du gouvernement et, malgré lui, malgré le peu d'attention qu'il semblait porter aux textes, son visage affichait appréhension et incrédulité devant ce qu'il lisait. Au bout d'un moment, il avait refermé le journal, l'avait lancé sur le canapé.

***

Ces réminiscences me troublent. Je sens les menaces se préciser, alors que mes forces m'abandonnent, s'en vont comme s'en vont les alluvions ; dans mes bras, dans ma poitrine, dans mon ventre, ce flux se dirige inexorablement vers un abîme de désespoir.

Quelque temps auparavant, Julio nous annonçait qu'il avait jeté les bases d'une firme comptable. Je l'avais chaudement félicité ; il y avait longtemps que Julio paraissait errer, sans but, sans port. Ce dont je ne me doutais pas était qu'il avait enfin trouvé sa voie avec la surprenante découverte que ses intérêts, les intérêts de sa bourse, rejoignaient ceux de l'administration publique, du gouvernement en place et des carnassiers. Il avait décroché un contrat fabuleux pour s'occuper des livres comptables de l'armée.

Me voilà au bord des larmes tandis que je me prête à une analyse des mécanismes que nous pouvons si aisément mettre en place lorsque nous décidons sciemment d'être aveugles. Quel marché Julio avait-il conclu pour parvenir à ses fins ? Il était connu pour son aversion farouche pour le travail, quel qu'il soit. À croire que son but principal dans l'existence, comme le dit Clarisse, consiste à éviter tout effort, tout travail, surtout manuel. Et je me souviens tout à coup d'une nuit, où, lasse de chercher le sommeil, j'avais saisi un livre de Curzio Malaparte. Était-ce *Monsieur Caméléon* ou encore *La peau*, je ne sais plus. Ouvrant au hasard, j'avais lu une phrase qui avait fait jaillir en moi comme un éclair. Le massacre du Bel-Air venait d'avoir lieu et on parlait partout dans le pays de la cruauté des recrues, toute cette nouvelle fange duvaliériste qui tuait à tort et à travers, érigeant sur les cadavres des masses populaires les bases de l'édifice de terreur qui les soutient. Il était question dans cette phrase d'un homme dont on disait qu'il faisait étalage du zèle des nouveaux convertis. Un zèle qui n'épargnait ni père ni mère. Ainsi en va-t-il donc de Julio ?

Jusqu'à quel point ai-je sciemment fermé les yeux sur ce qui, depuis l'arrivée des carnassiers, était plus qu'une évidence ? Julio, si pusillanime et si faible, le terreau parfait pour faire croître les semences qui nourrissent les fauves.

Mes yeux se dessillent. Cela fait si mal. Julio serait en quelque sorte l'homme de toutes les situations. Toujours en quête d'un strapontin, il passe son existence à se concilier les bonnes grâces de tout un chacun. Il peut, au matin, en se réveillant, endosser une défroque de marxiste bon teint, sortir de ses tiroirs ses prétentions d'intellectuel, celles qui l'autorisent à disserter pendant des heures, d'une manière, il faut le dire, fort obscure, du Capital, de force de travail, de montée des tensions sociales, d'inévitables et salutaires révolutions, et vous perdre en même temps dans les méandres d'un discours malthusien indémontable, pour s'endormir plus tard en chemise brune. Je suis sidérée par le manque de discernement des uns, la désinvolture des autres et, bien sûr, la mienne. Comment ai-je pu me montrer si naïve ?

À grand peine, je me lève, j'ai l'impression de porter la ville sur mon dos. Le poids de cette déception, sur les épaules, dans les reins. Je me traîne jusqu'à la table au milieu de la pièce, et sur laquelle se trouve une carafe d'eau. Agrippant l'anse du récipient, je constate avec irritation que mes mains tremblent. Je me sers un verre, puis je reviens à mon poste dans le coin près de l'armoire. Il va falloir rompre le cercle.

Le sommeil m'a abandonnée. Les deux premières nuits, je suis demeurée prostrée sur le sol, les yeux dans le vide, ne m'assoupissant que de brèves minutes. Lorsque je ne vois pas les automobiles des crapules en faction, je me tiens à la fenêtre guettant la nuit, traquant dans la pénombre les fantômes. Je suis désormais une femme à abattre, celle qu'il faut fuir. En ces temps de rumeurs terrifiantes, d'expéditions sanglantes, qui pousse la folie jusqu'à s'aventurer comme moi dans un tel combat ?

Il fait chaud. Allongée à même le sol, la fraîcheur de la mosaïque m'enveloppe comme une caresse secrète, un toucher ami. Cela me fait du bien. Je revis le départ de Charles-Émile. J'ai appris, les jours suivant cette défection, que la routine peut se révéler un ennemi redoutable. Impossible de nier l'amertume ressentie les premiers jours en voyant ses tiroirs vides, l'espace désormais inoccupé dans ce grand lit, alors que nous n'étions plus ensemble et depuis si longtemps, que par habitude. Nos corps, même, se retrouvaient sans joie aucune. Je me demande parfois si Charles-Émile n'attendait au fond qu'une occasion pour couper ce cordon qui nous étranglait tous les deux. Il avait trouvé nécessaire de me gratifier d'un exposé bien documenté, afin de me détailler un portrait réaliste de la situation. Face au déferlement de violence qui nous attendait, disait-il, ma parole pesait moins qu'une plume de colibri. Ils te casseront, répétait-il d'un air effaré. Je croyais entendre un parfait inconnu. Pensait-il me convaincre avec des arguments de la sorte ? J'avais peine à accepter que ces paroles de mort annoncée soient prononcées par l'homme qui disait m'aimer et que j'avais aimé. M'étais-je trompée ou bien était-ce Charles-Émile qui ne me connaissait pas ? Une des théories favorites de Clarisse voulait que nous soyons des étrangers pour nous-mêmes. « Comment prétendre bien connaître quelqu'un ? claironnait-elle. Cela relève d'une bien grande prétention, ne crois-tu pas, Mika ? Cet homme, il est vrai, ronfle à tes côtés toutes les nuits, mais il demeure pour toi un étranger. » Clarisse a peut-être raison lorsqu'elle estime que je me trompe à tout coup : de combat, de cible, d'homme.

Une nuit, alors que j'étais dévorée par la peur – partout, on commentait cet article que j'avais intitulé « Les sacrifiés du Bel-Air », qualifié d'incendiaire, mais dans lequel je n'avais fait que réclamer justice contre les auteurs d'un des massacres les plus affreux de notre histoire, un de plus –, cette nuit-là, Charlot me harcelait, m'adressait les pires reproches, m'enjoignait de partir avec les enfants. Beaucoup de gens s'en vont, serinait-il. Confronté une fois de plus à mon refus, à bout d'arguments, il m'accusa de les mettre tous en danger.

— Tu prends des risques inutiles. Ne sais-tu pas que le journalisme est considéré dans beaucoup de sociétés comme un dérivatif pour femmes oisives ?

Il avait ajouté qu'il s'agissait souvent d'une « obsession maladive, un refuge pour celles qui se sentent lésées par la grande littérature ». Il savait bien sûr où frapper pour me faire mal, très mal. Il serrait les dents, ses mots me vrillaient les tempes.

— Je te le dis, Mika, nous n'avons encore rien vu. Ce n'est que le début, la pointe de l'iceberg. Ils sont, je te le répète, ouvertement appuyés par les États-Unis, qui n'accepteront jamais une autre révolution dans la Caraïbe. Tu le sais aussi bien que moi, les Yankees préfèrent faire sauter l'île et nous ensevelir tous du même coup ! Je t'aurai prévenue !

J'avais préféré garder silence. Charles-Émile avait-il lui aussi rejoint les rangs de ceux qui apprenaient à cacher soigneusement leurs queues, leurs griffes et leurs crocs, à courber l'échine plus bas qu'il ne leur était demandé ? Il était si habile à raser les murs, à se méfier de sa voix et de son ombre.

Je ne devrais plus m'attarder aux discours de Julio et de Charles-Émile, cet homme que j'appelle déjà mon défunt mari. C'est inutile. J'essaie de convoquer des images plus légères, mais dans mon ventre, malgré moi, l'étau se resserre. Relâcher ce nœud qui se fait plus étroit à mesure que passent les heures ? Cela paraît impossible. Il me faudrait rayer toutes ces morts, les enterrer au fond de ma conscience, biffer les visages des trois jeunes qui viennent d'être lâchement tués. Trois jeunes pleins d'avenir, l'âge de mes enfants. Trois jeunes pleins d'avenir, l'âge de mes filles. Douleur sans nom, vorace. L'article est là, sur le bureau. Je l'ai lu, relu tant de fois. Rien ne m'empêchera d'en parler, rien ne pourra me condamner au silence.

Quand descend la nuit

Charles-Émile a plié bagage quand les appels anonymes en pleine nuit ont commencé à se faire trop insistants et menaçants, après la parution, dans l'hebdomadaire *L'Aube*, de deux de mes textes intitulés « Bâillon pour qui ? » et « Quand boirons-nous cette coupe trop pleine ? ». Dans le premier, je soulignais l'importance de libérer la parole prisonnière, celle des hommes, des femmes, des enfants, celle de tous les citoyens.

> *S'étonne-t-on que nous connaissions un taux d'analphabétisme aussi élevé pour un si petit pays ? La raison en est bien simple : ceux qui, depuis toujours, détiennent le monopole du pouvoir, donc, de la parole, n'ont aucun intérêt à ce que l'ensemble du peuple apprenne à lire et à écrire. Mais ils ne ratent aucune occasion de se gargariser, criant sur tous les toits que nous vivons dans un pays libre. Mensonge éhonté !*
>
> *Dans les pays qui se disent libres, les pays où les citoyens et les citoyennes sont véritablement libres, cette liberté fondamentale dont ils jouissent tous n'est rien d'autre que le fruit de la liberté de parole. Dans les pays libres, hommes et femmes sont libres sans conditions et les femmes conquièrent le droit à la parole en mettant à profit toutes les ressources disponibles : en premier lieu, la*

presse, les journaux. Il s'agit d'une conquête inestimable, et tout le mérite leur revient, car si elles s'étaient contentées, année après année, siècle après siècle, en dépit des brimades qu'elles subissent, si elles s'étaient contentées, les femmes, de se laisser enfermer dans les cercles étouffants de leurs familles, de leurs fréquentations, ces cercles où elles n'auraient fait que moisir, si elles s'étaient contentées des limites établies pour elles par ceux qui prétendent et pour toujours les guider, elles n'auraient jamais connu d'autre horizon que l'asservissement.

Est-ce qu'une société qui brime, enchaîne, et n'éprouve que mépris pour sa population peut se prétendre libre? Nous sommes à une époque où le combat des femmes pour l'accès à la parole n'a rien à voir avec un féminisme de pacotille, qui s'articulerait uniquement autour des valeurs prônées par une caste de bienheureux, par une poignée de nantis. Nous ne rêvons d'aucune utopie, nous rêvons simplement de parole, pour nous permettre de construire une véritable société de femmes et d'hommes libres. La parole libérée, seule, nous guidera vers l'indispensable dialogue permettant d'accéder à une société plus juste, donc plus libre. Nous ne prendrons pas la parole en jupon pour nous asseoir sous les tonnelles, entre femmes. Nous ne prendrons pas la parole pour la façade, nous la prendrons par devoir, et au nom de la liberté, pour combattre les préjugés et faire la chasse à l'ignorance, si soigneusement entretenue sur notre île, l'ignorance, ce boulet qui nous empêche d'avancer. Nous investirons dorénavant tous les lieux de parole, pour pouvoir dire un Non sans équivoque à toutes les injustices, au nom de toutes les femmes et de tous les hommes bâillonnés de ce pays.

Il s'agissait, d'après le journal *L'Œdipe*, « d'une déclaration de guerre au chef suprême, donc à la nation ». Deux jours après la parution de ce texte, j'avais trouvé, glissée sous la clôture, l'enveloppe contenant cette lettre qui signait mon arrêt de mort.

***

Ai-je dormi ? Sentiment horrible d'une perte de conscience qui ne s'apparente pas du tout au repos que procure le sommeil. J'ai le bras gauche engourdi, une douleur sourde au bas du dos. Dans la pièce fermée, il fait sombre car les rideaux sont tirés. Je n'allume pas encore la lampe. Si je crains la nuit, je crains aussi le jour, je crains jusqu'au bruit de mes pas sur les carreaux et je marche à tâtons jusqu'à la toilette, mes pieds reconnaissent les lieux. Au retour, je soulève précautionneusement un coin du lourd rideau. Le jour est déjà là, et le matin, affreusement gris. Sur une étagère de la bibliothèque, une photo : Charles-Émile et moi. Je tends le bras et m'empare du cadre, avant de me jeter dans ce fauteuil où il aimait se réfugier. En silence, j'interroge le cliché. Il a été pris par Soledad il y a si longtemps, un jour où nous étions tous les deux occupés à lire dans la chambre. Derrière nous, la fenêtre ouverte, la brise gonfle les rideaux. Charles-Émile a sur le visage une expression que l'on pourrait prendre pour de la tendresse. Cette photo date de plusieurs années, tout dans la vie a une date de péremption, ne le sais-tu pas ? Je crois entendre Clarisse. Je mets fin à ce dialogue muet pour me réfugier dans mon lit. Quelques minutes de repos me feront beaucoup de bien. Après une nuit sur le sol dur, la douceur des draps, comme toujours, me console.

Sur ma table de nuit traîne un exemplaire du *Don Quichotte*, cadeau de Charles-Émile, qui avait soigné sa dédicace. Celle-ci couvrait bien la moitié de la page. Il avait cru bon mettre en exergue une définition du bovarysme, et préciser qu' « *Il y a, dans cet ouvrage magnifique, le monde tel qu'il est et le monde tel que Don Quichotte voulait le voir* ». J'ouvre en général ce livre au hasard, pour y retrouver, au détour des pages, tout le comique de l'univers, libre comme les ailes d'un moulin. J'apprécie cette charge sans retenue contre la religion, la langue sans détours du prosaïque Sancho. Mais dans un accès de rage soudaine, j'arrache la page sur laquelle Charles-Émile conclut, avec ce qu'il pense être une trouvaille, un vers insipide dans lequel il marie vaille que vaille « *vieille rosse, armure de carton, orphelins à secourir, royaumes à protéger...* ».

***

Nous sommes le 15 septembre. Ce soir, vernissage organisé par un collectif de peintres dont fait partie Clarisse. Je vais devoir m'y rendre après avoir remis mon texte au journal. Il me faudra dormir chez Bé et Jeanne, ou chez Clarisse. Comment gérer les tempêtes de Clarisse la nuit suivant son exposition ? En ai-je la force ? J'irai donc chez Bé.

Je me passerais volontiers de cette sortie, mais Clarisse m'en voudrait. Elle était prise par l'organisation de cet événement, je n'ai pas pu la voir depuis plusieurs semaines. En vain, tante Jeanne l'a suppliée de ne pas y prendre part. « Ce n'est pas le moment, plaidait-elle, toute tremblante. Jamais le pays n'a connu de période électorale plus sanglante. » Raison de plus, selon Clarisse, de poursuivre nos activités, pour dire un non sans équivoque à cette violence et aux bâillons qu'ils nous imposent. Jeanne oublie-t-elle de quel moule nous sommes faites? « Elle commence à perdre la tête, dit Clarisse. Tout ce qui vit ramollit en vieillissant ! » La dernière fois que nous nous sommes vues, un dimanche, au repas de midi chez Bé, furieuse, elle invectivait Jeanne : « Annuler ma participation ? Autant me demander de me pendre ! »

***

Une émotion sans pareille m'étreint au moment de quitter la maison pour me rendre au journal, remettre mon texte. À trois reprises je fais le tour, m'assurant que toutes les portes sont bien fermées, les volets tirés, barricadés. Faut-il prendre l'auto, ou entreprendre la route à pied en empruntant des raccourcis pour essayer de semer ceux qui me traquent ? L'idée qu'ils pourraient me coincer et faire basculer mon véhicule dans le ravin me taraude depuis le matin. Je chausse finalement des escarpins plats. Je passerai par les venelles et corridors étroits qui serpentent jusqu'au bas du morne, pour me rendre jusqu'à la place de l'église, de là, je hélerai un taxi. Une fois dans le jardin, j'essaie de trouver ce qui, au cours de la nuit précédente, a pu produire ce choc sourd et me causer une telle frayeur. Ni papaye ni corossol, ce n'est pas la saison d'ailleurs. Un objet étrange, par contre, juste sous la fenêtre de ma chambre, me jette dans l'émoi. Là, sous le bougainvillier, une grosse pierre, un de ces énormes galets polis par la mer. Celle-ci doit bien peser quatre kilos. Comment ont-ils pu la lancer aussi loin ? Interdite, je demeure un long moment à examiner l'objet sur lequel deux croix ont été peintes de goudron et de sang.

Sur la route, je ne suis plus qu'une automate, mes genoux vont me lâcher ; je me raidis. Je me bats contre la peur, contre mes membres qui ne sont plus rattachés à mon corps et contre ce corps qui lui-même n'est plus de chair, ni de muscles et d'os. Je ne suis plus qu'un ballot de raphia, porté par le vent qui descend de la montagne. Ils ont osé lancer cette roche jusque sous ma fenêtre, quelle sera donc la prochaine étape ?

J'ai tant de mal à décrypter l'attitude des collègues lorsqu'enfin j'arrive au journal. De vraies bêtes aux abois, traqués, ils ont tous l'air constipé. Plusieurs d'entre eux sont trop occupés pour prendre le temps de me parler. Harassés par un quotidien déjà rude, leur vie personnelle, avec tracas et soucis divers, est tellement lourde à porter. C'est le cas de Jacques Lafontaine, que sa femme a quitté. Il m'étreint sans dire un mot, mais son corps parle pour lui : un balai qui flotte dans ses hardes froissées. Sa femme, Andrée Claude, serait partie se fourrer dans les bras d'un carnassier, un certain Justin Bertrand, véritable putois qui fait la pluie et le beau temps dans le quartier de Babiole et qui, nommé ministre de la Santé à l'arrivée au pouvoir de Papa carnassier, est devenu le temps de le dire riche comme Crésus. La vie de Jacques, dès lors, est menacée et il souffre en silence de ne pouvoir réclamer ni le divorce ni ses enfants. Un après-midi, le mois dernier, alors qu'il était venu me déposer à la maison, nous avions pris ensemble un café. Il m'en avait brièvement parlé, s'accusant de ne pas avoir su garder Andrée Claude. « Contre les griffes des carnassiers, quels sont nos recours ? lui avais-je répliqué. Avoir su la garder ou non n'est pas le problème, les carnassiers nous laissent ce que bon leur semble. » Je revenais de la cuisine, portant le plateau et les tasses, et j'avais vu sur la table son viatique : les photos de ses enfants et de sa femme.

Salnave quitte son pupitre pour venir m'embrasser, me souhaiter la bienvenue. Je préfère ne pas penser à ce que lui coûtera sa bravoure, car au sein même de l'équipe, je me suis fait des ennemis. Certains estiment que je mets en danger l'existence du journal, qu'il me faudrait désormais user de modération. Il demande des nouvelles de la rue, puisqu'il s'apprête à rentrer chez lui.

— Prépare-toi. Ce n'est pas une partie de plaisir ! J'ai mis près de deux heures à arriver ici, lui dis-je.

Il s'en étonne.

— Comme tu sais, le trajet n'est pas vraiment long mais on circule mal parce que les rues sont encombrées de gens désorientés. Partout il y a foule. Les gens courent pour aller s'approvisionner comme s'ils redoutaient un siège ou un ouragan. De plus, l'armée a envahi la place de l'église Saint-Charles. Quand je m'y suis arrêtée pour sauter dans un taxi, pas moins de quatre camions bâchés s'y trouvaient.

Salnave explose.

— C'est le comble de la provocation, rugit-il. Ils veulent épouvanter les jeunes, les boucler chez eux nuit et jour, parce qu'ils savent que cette place est leur lieu de rassemblement.

— La plupart des marchandes qui tenaient leurs petits commerces à l'ombre des flamboyants n'y étaient pas lorsque j'y suis passée. Elles ont fui la violence des militaires qui les dévalisent et refusent de payer.

— La même ambiance démente régnait ce matin à l'heure de pointe. Affolés, les gens jetaient des regards plein d'épouvante sur les façades des maisons que la nuit a peintes de goudron et de sang.

Je baisse la voix et lui rapporte l'épisode de la pierre découverte sous ma fenêtre et des véhicules en faction la nuit, au bas de la pente.

Salnave blêmit.

— Fais gaffe, Mika ! – l'émotion rend sa voix méconnaissable. Ils resserrent l'étau autour de toi et ne reculeront devant rien, tu le sais. As-tu pris le temps d'écouter la radio ce matin ?

— Non, je n'en peux plus. Je ne veux plus l'écouter ! Encore un peu, je flanque le poste aux ordures !

— Figure-toi qu'ordre a été donné à toutes les directions de stations de donner lecture chaque jour, sur les ondes, d'un chapitre du Catéchisme de la Révolution duvaliériste !

— Les salauds ! Tandis que la peur nous mord au ventre, eux se réjouissent !

— Tu ne crois pas si bien dire, Mika. Jamais de toute leur existence, ces sous-hommes n'avaient éprouvé de joie aussi profonde. On rapporte que deux d'entre eux, des types de Chambelland qui venaient d'être recrutés, et nommés commandants des Volontaires de la Sécurité dans leur district, sont tombés raides morts, terrassés juste du fait de mesurer l'étendue de leur force, ce pouvoir sans bornes qui soudain permet les pires folies. La prise de conscience de cette force brutale dont ils peuvent abuser sans limites se révèle une drogue mortelle.

— Eh bien, qu'ils crèvent donc tous de cette ivresse de se savoir tant redoutés ! Qu'ils crèvent au plus vite, nous en serions débarrassés !

— Nous n'allons pas pouvoir si vite nous débarrasser de ces vauriens, Mika, leur usine à propagande fonctionne à plein rendement. Ce pouvoir diabolique est nourri par des idéologues féroces, il ne faut pas l'oublier. Ils sont les piliers du régime. Tu n'imagineras jamais le nombre de plumes qui se sont mises sans trop se faire prier au service de ce fils de Lucifer. Dans son sérail, on retrouve des noms qui se voudraient, on ne sait trop pour quelle raison obscure, auréolés de prestige. Parmi eux, les deux Blanchet, un nommé Berrouet, Boyer, Bayard, Désinor, l'aboyeur Pomereau, sans oublier le fameux Mercier aux mille faces. Un certain Jean Magloire, tu dois en avoir entendu parler, il dirige, en plus de son journal *L'Œdipe*, cette équipe dont la plus grande prétention est d'avoir les mains propres.

— Dis, Salnave, est-il vrai que ces hommes auraient participé à l'élaboration de ce catéchisme duvaliériste ?

— Tu t'en étonnes ?

— J'avais appris par ma sœur Clarisse que c'était plutôt l'œuvre de cet insignifiant groupuscule qui s'est donné pour nom le Souverain...

— Ceux-là qui aboient sur les ondes en encensant Duvalier? Tu veux parler des St-Lot, Dominique, Laferrière et autres trublions ?

— Je crois plutôt que ces derniers sont des hommes de main, peut-être aussi des propagandistes secondaires. On raconte qu'ils recrutent des étudiants, en les attirant dans des guet-apens à saveur révolutionnaire pour ensuite les jeter aux carnassiers. Ces forbans ont du métier, tous ont participé, bien avant l'arrivée de Duvalier au pouvoir, à l'élaboration de cet ouvrage à la fois excentrique et médiocre intitulé *Œuvres essentielles de Duvalier.*

Pendant que nous causons, Salnave et moi, les machines à écrire crépitent comme jamais, dans l'espoir d'assourdir nos voix. La secrétaire m'annonce qu'une réunion prévue pour le lundi suivant a été reportée à une date indéterminée et que l'article que je viens de rendre, et pour lequel j'ai tant peiné, sera publié on ne sait encore à quel moment. J'encaisse sans broncher. Comme tout le reste, le journal tangue.

***

Une foule de petits bourgeois insignifiants et angoissés se presse aux portes de la Salle Polyvalente du Bas Peu de Chose : bouches en cul de poule, nœuds papillons, femmes en tenues d'apparat, talons aiguilles, ongles rougis, rires et sourires de circonstance. Angoissant dilemme : ici, on rit en tremblant de peur. Sitôt arrivée, l'envie me prend de m'enfuir. Je pense un instant que je vais m'évanouir et je commence à manquer d'air lorsque Clarisse prend la parole au nom du regroupement d'artistes. Cependant, épuisée, elle dit peu de choses. Ceux qui savent lire entre les lignes n'ont par contre pas manqué de s'attarder devant une de ses toiles, la plus grande, intitulée « La nuit descend ». En filigrane, on peut y lire ce vers d'Apollinaire : « La nuit descend. On y pressent un long chemin de sang. » Les toiles de Clarisse se font de plus en plus abstraites, empruntant chaque jour des traits plus spontanés, avec des courbes et des couleurs soumises à ses états d'âme.

Je m'attarde peu au vernissage. Je me sens traquée. Impossible d'oublier cette pierre sous ma fenêtre. En partant, je photographie une affiche qui couvre la devanture de l'édifice : « Dix voix pour une aube nouvelle », clame-t-elle. Il s'agit d'une œuvre collective, une toile gigantesque, de laquelle émane une atmosphère oppressante, une violence qui rappelle les tableaux des expressionnistes allemands.

Octobre de douleur et de désolation

Octobre avance à grands pas. Entre chansons guerrières et discours de propagande, les communiqués annonçant les célébrations qui entourent la prestation de serment de Duvalier occupent les ondes et les colonnes de tous les quotidiens.

Mois sacré où les classes reprennent après les grandes vacances estivales, octobre n'a plus le même visage. Ordre a été donné de réquisitionner toutes les écoles afin d'y loger les troupes duvaliéristes. Sûrs de leur bon droit, les carnassiers ont organisé des razzias dans les campagnes, forcé combien de paysans - lesquels ils méprisent sans vergogne - à quitter leurs terres, pour aller à la capitale grossir les foules venues applaudir le tyran. Ils affluent des provinces et des communes, déboulent en ville, entassés dans d'énormes camions utilisés pour le transport du bétail. Une fois les écoles emplies, ils sont déversés dans les rues, parqués à même les trottoirs. Port-au-Prince abrite désormais le plus grand marché aux esclaves de la Caraïbe. On les voit défiler en d'interminables parades, affublés de leurs vareuses de gros-bleu, fusils en bandoulière. Un très grand nombre d'entre eux, pour leur malheur, portent des chaussures pour la première fois, avancent tels des perclus, les pieds prisonniers d'énormes bottes d'armée usagées, récupérées par ce gouvernement on ne sait où. Spectacle affligeant que cette marée bruyante, haletant sous le soleil. On les voit défiler, suant tels des bœufs, venus acclamer un despote qui n'a même pas à cœur de les nourrir. Privés de leurs jardins, de leurs activités quotidiennes, ils commettent pour ne pas crever de faim vols, exactions, extorsions de toutes sortes.

Tandis que les écoles sont occupées par les troupes, l'éducation, ce symbole de l'espoir, est foulée aux pieds par le nouveau pouvoir. Les étudiants sont considérés comme des ennemis potentiels. Il suffit dorénavant de revêtir un uniforme de toile bleue, d'arborer un foulard rouge, d'exhiber un fusil et des pistolets, et le tour est joué, on devient milicien, chef, tout-puissant. L'horizon s'obscurcit jour après jour, barré de toutes parts par la vermine duvaliériste.

Dimanche 20 octobre: plus que deux jours avant l'apothéose de la mascarade. Affiches et banderoles aux slogans menaçants tapissent murs, palissades, poteaux, auvents: «JE suis la révolution. Quiconque agit contre elle, se dresse contre MOI!» «Le duvaliérisme intégral: seule voie pour sortir ce pays de la misère, celui qui s'y oppose sera déclaré traître à la nation!»

Au téléphone, ce matin, la voix de Charlot. Étrange, j'en avais presque oublié le timbre. Tout passe, c'est vrai. Qu'ils sont loin les jours où cette voix seule suffisait à allumer en moi un brasier. Pendant un instant, je l'oublie au bout du fil. Mes pensées dérivent, je me demande comment nous choisissons nos partenaires amoureux, qu'est-ce qui m'avait jetée dans les bras de cet homme? L'amour est-il aveugle autant qu'on le prétend? Toute ma vie avec Charlot, je me suis interrogée sur ce besoin que j'avais de lui, jusqu'à ce que mon corps lui-même se lasse de ses manquements. Clarisse, bien sûr, n'a jamais raté une occasion de me narguer. « À ta place, je m'en débarrasserais de ce corps, conseillait-elle, il te trahit, ne sait pas choisir. »

La voix de Charlot, aussi détachée que mon désir de lui à présent. Savait-il depuis le kidnapping du pouvoir par ces crapules qu'il allait se ranger là où l'eau de la rivière semble plus fraîche ?

Ses filles sont-elles déjà rentrées ? Prévoient-elles rester en ville ? Sait-on où les rejoindre ? Je tente de percer le motif de ces craintes inhabituelles concernant ses enfants. Il a parcouru la ville dans la matinée, a-t-il vu ces pancartes et banderoles dont tout le monde parle ? Les étudiants ont érigé des barricades tout autour de la faculté d'ethnologie, des chars circulent à présent sur les grandes artères. Est-ce vrai ? Ses réponses se font évasives. Il n'a vu que ce que tout le monde raconte.

Nous nous sommes acheminés avec ces dernières élections vers la ligne de crête, nous nous apprêtons à basculer dans le vide, et lui, Charlot, n'a toujours pas d'idée, pas d'opinion franche. Il lui suffit de continuer à remplir son écuelle, dans son bureau d'architecte, les affaires roulent. Une nouvelle clique s'enrichit, on va se mettre à construire, les commerces vont prospérer, les anciens ont assez bouffé, on dresse la table pour de nouvelles agapes.

L'impatience coutumière dans sa voix me ramène vers lui.

— Non, lui dis-je, les filles ne sont pas rentrées. Je leur demanderai de te téléphoner. Oui, je ne manquerai pas de les rappeler à la prudence.

— Il nous faut apprendre à déchiffrer les signes du temps, lâche-t-il un peu trop rapidement.

Et je comprends qu'il prononce ces paroles sans vraiment y penser, pour dire quelque chose, n'importe quoi. Il aurait dû se taire, car de nouveau je l'interroge.

— Que veux-tu dire ? Que se passe-t-il ? Que prévois-tu faire ?

Il n'a de réponse à aucune de ces questions.

— Étrange journée, termine-t-il enfin d'une voix blanche.

Très lentement je réponds :

— Octobre est en train de crever de honte et de peur, puisque voici nos écoles occupées par les satrapes. Au rythme où vont les choses, qui sait quand les enfants pourront y remettre les pieds ?

Comme il ne répond pas, je lui annonce l'arrivée de tante Bé. Des paroles inutiles, que je prononce tout comme lui pour meubler le silence.

— Elle n'en peut plus de la ville. Le bruit, les sirènes, les parades de gorilles armés, tout ce vacarme la rend malade. Elle préfère venir me retrouver ici.

Et voilà Charlot, soudain, plus du tout évasif. Hostile, sa phrase tombe tel un couperet.

— Tu es certainement beaucoup plus folle qu'on le dit ! se met-il à glapir. N'apprendras-tu donc jamais à réfléchir ? Tu sais bien que Bé ne respecte rien ! Elle parle à tort et à travers, elle n'a jamais su tenir sa langue ! Tu crois que c'est maintenant qu'elle saura le faire ? C'est trop dangereux, tu t'exposes encore plus, Mika, fait-il, en essayant d'adopter un ton plus posé pour adoucir ses propos.

Interloquée, je me tais. Mais il poursuit, enfonçant le clou.

— Ne trouves-tu pas qu'il y a déjà assez de griefs contre toi ? Et contre toute ta famille, d'ailleurs. Tu n'y as sans doute pas pensé, pourquoi ne pas faire venir Clarisse par la même occasion ? Elle joue à l'artiste émancipée, ne sait-elle pas que la liste est longue de ceux qui ont des comptes à régler avec elle ? Ils vous cueilleraient toutes du même coup ! Tu leur faciliterais la tâche.

Par chance, il ne se trouve pas devant moi, je lui aurais flanqué une fichue raclée. Je me mets à crier et on doit certainement entendre mes hurlements dans tout le voisinage, mais je n'en ai cure.

— Je maudis mille fois le ventre qui t'a mis au monde, fils d'hyène et de chien bâtard que tu es ! Par la faute des lâches de ton espèce, vois où nous nous trouvons aujourd'hui.

— Vas-tu m'écouter, Mika ? s'égosille-t-il.

Déchaînée, je n'entends rien, je réplique :

— Dis, belle graine d'ordure, salaud couronné, sais-tu la chance qui est la tienne aujourd'hui ? Ah ! tu ne le sais sûrement pas, une chance inouïe, remercie le ciel ! Car tu ne pourras jamais imaginer comment je me serais appliquée à labourer de mes ongles ta belle petite gueule de merde, je lui dis avant de raccrocher.

J'ai depuis longtemps fermé le livre des comptes, mais la poussière s'accumule. En couches épaisses, elle s'étale partout, me suffoque à intervalles réguliers. Les empreintes de Charles-Émile tardent à s'effacer. Tant d'images remontent brutalement. Ronde implacable des souvenirs. Infernale. Pourquoi un tel remue-ménage aujourd'hui, au moment précis où tout autour de moi semble s'effondrer ? Plus j'espère chasser ces souvenirs, plus une autre partie de moi s'entête à les convoquer. Ils m'envahissent. Je me sens comme ce condamné qui, voyant venir le moment fatal, s'adonne au grand nettoyage. Je fais peut-être mes adieux. Je dénombre les couleuvres avalées, établis le compte de mes années avec Charlot ; elles s'alignent, prégnantes, nettes, si lourdes. Poids des illusions et des remords ! aurait clamé ma sœur, pour qualifier ce que je nommais, à l'époque, un bonheur difficile.

Je hais cette impression que j'ai de m'adonner à un bilan, un de plus, un de trop. Avec une netteté déconcertante, je revis ces jours où, au bout d'une semaine sans donner signe de vie, il s'amenait sans prévenir pour le déjeuner. La bête revient renifler l'enclos, me disais-je alors à chaque fois. Après avoir mangé, nous faisions la sieste tandis que les enfants s'amusaient dans le jardin sous l'œil attentif de tante Bé. Charlot ne demandait jamais comment se portaient les enfants, avaient-ils besoin de lui, que faisaient-ils en classe ? Tout lui était dû. Il était devenu père comme tout homme qui se respecte et il était tout à fait normal qu'il ait une femme pour prendre soin de sa progéniture. Son indifférence envers les filles, surtout, me consternait. Est-ce parce qu'elles sont des filles qu'elles sont trop souvent moins considérées que des meubles ? Il s'agit d'un atavisme, mais surtout d'égoïsme, un égoïsme chronique, qui prend naissance dans les fondements de ces sociétés paternalistes. Combien de fois ai-je tenté d'en débattre avec lui ? Mais il montrait, hélas, fort peu d'intérêt pour ces discussions. C'était trop lui demander.

Quelquefois, nous faisions l'amour, rapidement. Très rapidement il jouissait et s'en contentait. Cela me déconcertait mais je n'avais pas le temps de penser, je ne voulais peut-être pas penser, reconnaissante des miettes.

Telle une bête aveugle, en arrivant à l'improviste, il se jetait sur moi, grognait en s'enfonçant en moi. Honteuse, je me faisais croire que je l'acceptais uniquement pour avoir la paix. Il s'engouffrait dans mon corps avec une impatience jubilatoire et ses façons animales me déroutaient. Ainsi je percevais Charles-Émile. Son impatience à me posséder dans ces moments-là, parce qu'elle était muette surtout, m'effrayait. Nos rapports semblaient ne concerner que le sexe, l'organe sexuel, le sien. Jamais un mot de tendresse, ni même une banalité. Ce refus absolu de paroles tendres au moment où je me donnais à lui – même lorsque je n'en éprouvais pas l'envie – consistait pour moi en une double violence, la sienne, couplée à celle, inacceptable, que j'exerçais contre moi-même. Mais je persistais dans cette attitude honteuse, avec le sentiment horrible de n'être qu'un objet à lui, comme ses chaussures, les clés de sa voiture, son argent. Quelle différence, m'étais-je demandé un jour, entre le colon de jadis qui étampait ses bœufs, ses chevaux, jouissait du droit absolu de cuissage, et le rapport qu'entretenaient Charlot et trop d'hommes de mon entourage avec celles qui acceptaient de se lier à eux ? Ils se débattaient souvent, tels de vrais diables dans un bénitier, contre un héritage qui les paralysait, leur imposait des manières abominables de traiter leurs compagnes, tout en se vautrant dans des discours qu'ils voulaient progressistes mais qu'ils parvenaient rarement à mettre en pratique. Douloureux dilemme, car j'étais pleinement consciente du combat que menaient en moi deux femmes : celle qui cherchait à garder la tête hors de l'eau boueuse et voulait se rebeller, et l'autre, qui portait les stigmates d'une société rétrograde et conformiste, et qui, pour se dédouaner, avait recours à ses sempiternelles analyses philosophiques, dérivait dans des entourloupettes intellectuelles prétentieuses, parlant vaguement de l'enseignement de l'amour, de la tendresse. Comment transmettre? Peut-on transmettre, enseigner l'amour à un être au cœur à l'envers et au cerveau embrumé?

Pendant combien d'années me suis-je entêtée dans ce cloaque que Clarisse appelait mon purgatoire? Avais-je accepté avec trop de complaisance ma part de contradictions?

Je m'en veux de m'attarder à ce remue-méninges futile. N'ai-je pas déjà consacré trop de temps à ces pensées stériles? Je me le répète tout en sachant que je vais pendant longtemps encore garder en moi l'amertume, comme une pierre sous la dent.

Bal canaille dans les bordels du Bondieu

Tel qu'elle le voulait, Bé se trouve à la maison avec moi depuis quelques jours. Elle essaie à grand peine de se faire discrète, mais de temps à autre, à la façon d'une mendiante, le pas hésitant, elle pénètre dans le bureau pour m'offrir quelque chose : de l'eau plus fraîche, une tisane. Sa présence me procure tout à la fois réconfort et inquiétude. Qu'arrivera-t-il en cas d'assaut ou de tirs sur la maison ?

En ce début de novembre, le crépuscule, comme un manteau de deuil, tombe très vite. Puis le silence, morne, total, tandis que la nuit avance à grands pas pour prendre possession de tout. Mais aujourd'hui, il amène avec lui le ramdam annonçant le bal canaille prévu pour demain. Toni accourt, malgré la peur, nous porter les dernières nouvelles. Commence-t-elle à perdre la boule, elle aussi ? Elle fait preuve de tant d'imprudence. Empruntant des sentiers au milieu des fourrés – elle craint de se faire repérer par les carnassiers au cas où ceux-ci se trouveraient encore en faction sur la route –, elle arrive en nage, essoufflée. Dans sa bouche, tout se confond. « Quand donc prendra fin ce vacarme ? » me questionne-t-elle. J'avoue que je perds le nord, moi aussi. Tout le long de l'après-midi, ce n'étaient que hurlements confondus de bêtes et de gens, bruits de ferraille, mugissements de cors, de bambou, de trompettes, tambours déchaînés. Rapidement, le ciel s'était assombri, comme empli d'une colère lourde. Toni nous raconte qu'au bas de la ville, fusils en bandoulière, des miliciens frappent aux portes pour distribuer des crucifix peints de rouge et de noir. Les carnassiers ont exigé de tous les prêtres vaudou, des mambos, des prêtres catholiques et des pasteurs qu'ils se mettent à leur service.

— Dans quel foutu bordel de merde sommes-nous tombés ? je demande à Bé. Allons-nous pouvoir tenir le coup ?

— La situation est devenue explosive, mais il faudra qu'elle se dénoue. Nous tiendrons le coup, sois-en sûre, affirme Bé. Ils devront bien s'arrêter !

J'acquiesce, timidement. Je voudrais tant qu'elle dise vrai. Mais ma raison me dicte que cette fureur ne s'apaisera pas par magie.

— L'espérance, seule, ne suffit pas pour démanteler le système qui s'est mis en place, Bé.

Ma voix n'est plus qu'un faible murmure et voilà que soudain je me mets à pleurer. Les larmes roulent sur mes joues, je renifle. Trop tard, toutes les émotions de ces derniers mois ont mis mes nerfs à rude épreuve. Je suis lessivée.

— Oublies-tu, ma fille, que MacDonald lui-même s'était arrêté ?

Tante Bé, certainement, ne m'a pas vue pleurer depuis l'enfance. Sa voix trahit son étonnement, mais exprime aussi la peine immense qu'elle ressent. Je n'ai pas la larme facile, elle le sait. Et au fond de moi, je m'en veux de pleurer en présence de deux vieilles femmes, dont je me dis qu'elles ne peuvent en aucune façon se défendre contre cette folie meurtrière. Mais c'est plus fort que moi, j'en rajoute :

— Vous rendez-vous compte que nous voilà, en ce temps de tous les dangers, seules toutes les trois dans cette grande maison isolée ?

D'un geste de la main, posé mais énergique, Bé me fait taire.

— Nous ne sommes point seules, Mika.

J'attends qu'elle poursuive mais la voilà qui se lève, se rend à la fenêtre. Elle se met de biais, contemple un long moment la route sombre d'où semble monter un grondement continu et menaçant. Ramenant son attention vers Toni et moi, elle nous dit :

— Ce sont leurs camions qui avancent, des camions remplis de tueurs. Ils vont envahir toute la ville dès l'aube, mais nous ne devons pas céder à la peur.

La voix de Bé, si ferme et empreinte de tant de conviction, me fouette. Ce ton m'est familier, ce ton de voix que je lui ai toujours connu, et qui ne tolère aucune parole irréfléchie. Pendant un bref instant, je la revois, tenant tête à mon père ou à Clarisse, de cette voix qui jamais n'enflait ni ne se perdait dans des accents de colère inutile. C'est une voix qui part du ventre, se déploie avec une force tranquille et une assurance si solide que l'interlocuteur en reste bouche bée.

Bé poursuit, me regardant fixement :

— Les paroles qui sortent de ta bouche m'étonnent, ma fille. Ce n'est point ainsi que je vous ai élevées, ta sœur et toi. Ne t'avise plus de répéter que nous sommes seules, car nous ne sommes pas des moitiés de femmes ! Ce regard posé sur la mort, celle qui depuis bientôt une année entière rôde autour de nous, ces morts que nous déplorons, doit nous contraindre à relever la tête plus haut chaque jour. Épreuves, privations, humiliations, rapts d'enfants, rien de tout cela ne me fera adopter une position de victime! Entends-tu, Mika? Je sens que je dois agripper la peur par le collet, et je t'enjoins à faire de même. Autrement, elle aura bien vite raison de nous.

Tante Bé, avec sa manière bien à elle de concevoir l'existence, cette tendance à se référer aux proverbes, à l'histoire passée, mais aussi à sa propre expérience, nourrit la conviction profonde que les êtres humains viennent au monde pour se battre. On ne vit que si on est prêt à lutter, telle est sa maxime.

Une fois de plus, Bé rappelle le déraillement du train MacDonald. Elle ne saurait dire à quelle époque cela s'est produit, mais elle s'anime en racontant la folle chevauchée de cet engin, lancé comme un animal fou par toute la ville.

— Il avait couru sur des kilomètres et des kilomètres, une course éperdue, dont on aurait cru qu'elle allait durer la vie entière. Ni édifices, ni piliers, ni ponts, ni barricades n'étaient à sa mesure, MacDonald était lâché. Les dégâts? Autant que le plus violent des cyclones. Mais c'était sans compter les flancs monstrueux du Macaya. Ils se heurtèrent, MacDonald et Macaya, deux bêtes rivales. Le Macaya, sans lever le petit doigt, envoya MacDonald rouler dans les flots du fleuve Artibonite là où se trouvent encore ses restes.

Dans un effort immense pour dompter mes peurs ou la volonté de montrer à Bé que je suis digne d'elle, j'offre à Toni de la raccompagner. Je n'ose lui proposer de dormir avec nous. C'est trop dangereux. La nuit, je ne fais que compter les heures, espérant la venue du jour. Avant de nous quitter, Toni sort tout à coup de son soutien-gorge une feuille de papier, pliée on ne sait combien de fois. Elle la déplie soigneusement, la lisse à l'aide de ses mains et nous propose de prier avec elle. Tante Bé ne s'y oppose pas. Je crois que c'est surtout par amitié pour Toni.

Tout autant que Clarisse, Bé hait les prêtres, les pasteurs, les hougans, tous. Leur pouvoir est trop grand, disent-elles. Aussi, Toni prend-elle la peine de la rassurer, de lui expliquer que la vibration la plus puissante de l'univers est la prière. Elle nous demande de fermer les yeux et de nous recueillir. Tremblante et anxieuse, dans cette foi mise à rude épreuve, la voix de Toni s'élève :

Dieu Tout-Puissant et vous aussi, tous les saints du ciel, dans l'attente de ce grand jour de la délivrance, nous vous demandons de nous apporter force et soutien. Gardez-nous, protégez-nous, en vous, nous mettons toute notre confiance. Saint Jude, patron des causes désespérées, écoutez-nous et débrouillez-vous pour nous sortir de ce bourbier.

Saint Antoine, toi qui sais où se trouvent toutes les choses égarées, ramène-nous la paix.

Saint Augustin, qui sais comment faire fuir les rats, ainsi que tous les animaux nuisibles et les parasites, débarrasse-nous des ordures duvaliéristes qui encombrent ce pays et de la peur qui nous paralyse.

Saint Louis, toi pour qui les abcès n'ont pas de secret, fais crever bien vite tous ces chiens enragés.

Sainte Barbe, obtiens-nous au plus vite la mort de toute cette charogne.

Saint Benoît, ils sont tous des malfaiteurs et ne jurent que par les maléfices. Fais en sorte qu'ils s'empoisonnent et se dévorent les uns les autres.

Lorsque arrive le tour de saint Fiacre, celui que l'on implore pour se débarrasser des hémorroïdes, Bé dit à Toni que la nuit approche, et qu'il vaut mieux continuer la prière sur le chemin du retour.

Nous marchons, Toni et moi, l'une à la suite de l'autre, car ce sentier encombré d'herbes folles jusque chez elle est très étroit. Nous cheminons lentement, si lourdes du poids de cette horreur qui nous cerne de toutes parts. Nous n'en avons que pour une dizaine de minutes, mais cela me paraît une éternité. Toni égrène à voix basse son incroyable litanie qui aurait bien fait rire Clarisse. Je la suis, ralentissant le pas, car elle ne va pas bien vite.

À mon retour, nous nous endormons, Bé et moi, blotties l'une contre l'autre, comme au temps jadis, ce temps où, enfant, je venais dans l'obscurité me glisser dans ses bras. Pieds nus, parcourant le long couloir où s'alignaient les chambres, j'échafaudais mon plan : « Je vais lui dire que j'ai la nausée depuis plusieurs jours. » Je m'arrêtais pour réfléchir. « Il vaut mieux faire attention, il faut que Bé puisse me croire. » On aurait pu me voir, remuant les lèvres, traquant la faille dans mes plans, cherchant dans ma petite tête pleine à craquer de fantômes, de chevaux aux sabots de métal et aux naseaux fumants, le danger pouvant susciter la sympathie de tante Bé afin que je puisse me glisser dans son lit. Grâce à la présence de Bé – j'ai délaissé depuis son arrivée mon refuge contre la grande armoire dans le bureau –, je dors un peu plus longuement cette nuit-là. Je rêve de cochons volants, de femmes qui quittent leur peau et volent pour aller dévorer les nouveau-nés du voisinage, et qui, leur escapade terminée, sont poursuivies par le train MacDonald, tandis que des miliciens aux gueules d'hippopotames et aux dents aussi longues que des sabres sautent du train en marche pour les éventrer.

***

Un carillon insistant nous tire du sommeil. Glacées d'épouvante, nous nous demandons s'il s'agit des pompiers. Bé me rappelle que de pompiers, il n'y a point dans la ville. C'est vrai qu'on regarde brûler les maisons comme si on assistait à des spectacles. Quand une maison prend feu, eh bien, c'est certainement parce que ses occupants le méritent. Il ne peut s'agir que d'un châtiment. Si, par chance, existe dans les parages une prise d'eau, le châtiment est moindre, car on peut compter sur la solidarité du voisinage, faire une chaîne de boquites, de seaux d'eau pour apaiser la fureur des diables qui ont décidé d'engloutir la maison et ses habitants. Je me précipite vers la fenêtre lorsque Bé me rappelle que ce tintamarre doit certainement annoncer la reprise des célébrations.

— Le bal canaille repart, soupire Bé. Mais ils ont trouvé pour la suite un nom beaucoup plus élégant : un *Te Deum*, annonce-t-elle, en avançant les lèvres de façon comique.

Nous décidons de suivre à la radio la retransmission de cette mascarade, accompagnées de Toni, qui accourt aujourd'hui encore, nous disant qu'elle est trop nerveuse et surtout trop inquiète pour rester seule. D'après le commentateur, les carnassiers se retrouvent, fanfares en tête, dans toutes les églises du pays. À la cathédrale de Port-au-Prince, annonce-t-il de sa voix lénifiante, la cérémonie rassemble tous les dignitaires et le distingué personnel des ambassades.

— Quelle effroyable bacchanale, se lamente Bé. Les nouveaux maîtres du pays sont tous présents. Je paierais cher pour voir tous ces curés, ces Monseigneurs, ces suppôts du grand Satan, défenseurs acharnés du régime. Ils doivent jouer des coudes dans leurs vêtements d'apparat, se perdant en courbettes.

— Chut!

Toni lui intime l'ordre de se taire car, tandis qu'elle tempête, le présentateur égrène les noms: « Les évêques Kébreau, Ligondé, Agénor et autres prêtres, tels les curés Georges et Papayer... »

— Qui ont pour charge de recruter des étudiants défavorisés - rien de vraiment difficile - pour les livrer aux malfrats, enchaîne Bé.

Agacée, Toni soupire.

— J'aurais dû rester chez moi, déclare-t-elle, boudeuse. Je n'entends rien.

— Mais tu ne comprends pas! éclate Bé. Je les vois d'ici, ces hommes aux mains salies par tant de sang, je les vois en train de bomber le torse, sans honte aucune. Et j'ai envie de crier de rage. D'ailleurs, demain, tu leur verras certainement la face à la une du journal, car ils sont les premiers à trouver leur place sous le dais. Il y a pour eux autant d'espace qu'ils le souhaitent désormais puisqu'ils ont commencé à exiler ou à jeter en prison les récalcitrants parmi le clergé!

Les fidèles du Père de la nation, poursuit l'homme au micro, ont dressé une haie tout autour de lui. On distingue, ânonne-t-il, les architectes Barbot, Tassy, Franck Romain, Ti Boulé, Gros Féfé, Ti Bobo, Saint-Albin, Abel, Jérôme, Kanbronne, Daumec, Gérard, Louis, Cinéas, le préfet de police, Day, et tant d'autres encore.

— Cet édifice macabre ne risque pas de s'écrouler de sitôt, conclut Bé, laquelle dans un mouvement de colère ferme brusquement le poste.

Sur le visage de Toni se lisent consternation et effroi.

— Ils doivent être nombreux, rugit Bé, en écrasant une larme, ceux qui voient ces monstres parader et qui sanglotent comme moi de ne pas avoir su décoder certains messages, parce qu'il est faux de prétendre que les signes n'étaient pas évidents !

Devant mon air perplexe, Bé se lève, agitée.

— Je parle, fait-elle en gesticulant, de ceux qui ont connu l'effervescence de la campagne électorale. J'ai dans les oreilles les voix complices, sur les ondes de toutes les stations, de tant de tribuns de malheur qui encensaient Duvalier. Aujourd'hui, on comprend qu'ils agissaient à titre de fossoyeurs, creusant de leur langue la tombe de tant de gens qu'ils désignaient ainsi à la vindicte carnassière. Nous étions depuis longtemps déjà otages de ces sous-hommes au verbe facile et à la langue assassine. Rappelle-toi, Toni, rappelle-toi bien ces voix à la radio : « Untel, vous avez la parole ! » Avec leur cirque macabre, leur irresponsabilité calculée, ils ont ouvert la voie aux carnassiers. Ils se sont tout simplement emparés de la parole, nous laissant muets de stupeur. Aujourd'hui, ils jettent sur le bûcher l'âme du peuple et recueillent les fruits de leur labeur. Ils doivent être rayonnants, courtisans et courtisanes, vêtus de leurs abominables costumes rouge et noir !

Bé sort de la pièce, presque en courant, comme pour fuir un spectacle lamentable. Elle s'enferme dans la cuisine. Je l'entends s'agiter, farfouiller dans les armoires. Elle doit s'être mise à faire le ménage ou chercher quelque chose à manger pour faire taire sa rage. Elle sera certainement malade d'avoir avalé sans mâcher, d'avoir tenté d'engloutir sa colère.

Bé partie, je rallume le poste et continue à écouter les commentaires du présentateur, visiblement dépassé. De temps à autre, il bégaie, trébuche sur les mots, les ampute de quelques syllabes. Je me surprends à implorer le ciel que cela ne lui vaille pas le peloton d'exécution. Je frémis alors qu'il annonce l'arrivée à la cathédrale de la Première Dame, cette femme au teint jaunâtre, que l'on voit lors de ses apparitions en public toujours fardée comme un clown.

La voix de l'animateur est assourdie par les applaudissements nourris qui l'accueillent.

— Ce doit être cette bande effrayante de femelles aux dents longues, dirigée par Rosalie Bosquet et cette Madame Lalanne, qui applaudit si frénétiquement, murmure Toni.

— Leurs claquements de doigts rappellent les battements sinistres des ailes de corbeaux, lui dis-je. Cette femme a pour nom Simone Ovide.

— Je sais, répond Toni. Elle doit avoir à ses côtés quatre avortons au visage bouffi traînant les pieds. Je les ai vus au Champ de Mars lors d'une parade de l'armée. Ils étaient trois de sexe féminin, vêtues ce jour-là d'une espèce de robe rouge en tulle bouffant. Les précédait un garçon à tête de batracien, d'environ huit ans d'âge. Crois-moi si tu veux, Mika, il avançait armé d'une énorme mitraillette!

Une coupure de courant met fin à ce supplice. Toni en profite pour rentrer chez elle. Déboussolées, nous nous réfugions, Bé et moi, dans le lit et y passons toute la matinée.

Toni nous rapporte plus tard une scène abondamment commentée par les badauds, mais qui, semble-t-il, n'a pas été retransmise. La femme du chef des carnassiers, surnommée la femme-zombi à cause de cet air absent qu'elle affiche en toutes circonstances, montra soudain griffes et crocs pour exiger qu'on lui remette le conopée. Sans un mot, et avec force courbettes, un des évêques a obtempéré et le lui a posé sur la tête. Peu à peu, deux cornes se sont mises à pointer, trouant le tissu. Le président lui-même portait soutane et cet éternel chapeau melon qu'il ne quitte jamais et qui sert à cacher ses cornes. Il a ouvert le bal au bras de la femme-zombi. Celle-ci avait fiché deux chandelles sur les cornes qui venaient de lui pousser.

***

Journée étrange où la nature elle-même semble se révolter, comme à la veille d'un cyclone. En fin d'après-midi, des bourrasques tout à coup balayent sans pitié la ville. Les gens courent sans trop savoir où diriger leurs pas ; ils cherchent refuge sous les tonnelles branlantes et les galeries qui menacent de s'effondrer, se battent pour s'abriter sous un pan d'auvent en lambeaux. Un autre cauchemar ? Un rêve éveillé d'esprits tourmentés ? Hélas, non. Les portes arrachées de leurs gonds claquent dans un bruit d'enfer, tandis que tôles et bouts de métal pourri valsent dans l'air, menaçant de décapiter hommes et femmes sur leur passage, avant d'aller rejoindre branches et arbustes terrassés au milieu de la chaussée. Terrorisée, toute la population s'est barricadée dans un silence plus profond que celui d'une tombe.

Je pénètre dans la cuisine, attirée par un fumet délicieux. Devant le fourneau, tout en chantonnant, Bé prépare une fricassée de chèvre. Faut-il bien que nous mangions avant la fin du monde, lance-t-elle, amère.

— Je parie que si tu appelles Toni pour lui annoncer ce que tu mijotes, elle va rappliquer, lui dis-je.

— Je pensais bien lui téléphoner, mais je doute qu'elle revienne, même si le vent se calme. Je sens que malgré la force des bourrasques, tout cela est passager. Cependant, comme je connais Toni, elle doit être terrée dans son lit à trembler en se disant que cet ouragan doit avoir été commandé par le grand Satan pour nous soumettre tous.

Au bout de quelques heures, la tempête s'apaise. La pluie, seule, continue à tomber, doucement. Il n'y a plus que son chuintement entêtant sur la terre détrempée, plus qu'un murmure, une plainte. Et ceux qui prêtent attention voient les nuages glisser à folle allure, comme s'ils s'enfuyaient vers un ciel plus sûr, plus clément. « Le ciel semble vouloir laver la terre de toute cette horreur, marmonne Bé, mais le ciel lui-même en sera incapable. »

Dans le jour qui s'en va, se font entendre, comme en écho, les premiers bruits de la vie qui tente de refaire surface : paroles étouffées, sanglots d'enfants, quelques piaillements d'oiseaux effarouchés. Faisant mentir Bé, Toni revient.

— Je ferai comme les gens mal élevés, annonce-t-elle, manger et filer avant qu'il ne soit trop tard ou que le vent ne se remette à souffler. Ils disent à la radio que cette brève pluie a causé bien des dégâts. Certaines maisonnettes du Bois de Chêne ont été inondées. Clara a entendu dire qu'après l'averse, dans cette zone, les femmes écopaient une eau noirâtre aux relents de goudron.

— On voudrait bien savoir, comprendre le pourquoi et le comment des choses, dit Bé, et sa phrase se perd dans le babillage de Toni.

Je risque un œil au dehors et je pense : personne ne décèle encore, sous la masse de haillons que sont devenus les nuages, la longue déchirure laissée par les couteaux, ni la traînée couleur sang.

Le soir accourt très vite, les lumières s'allument en contrebas, puis s'éteignent rapidement, le temps pour les habitants de faire taire les pleurs d'enfants, pour ensuite se recroqueviller, petits, tout petits et muets, dans l'obscurité de leurs maisons, car les rues, déjà, appartiennent aux carnassiers.

Le chagrin sans retour de Jeanne

Tante Bé pose une main sur sa poitrine, à l'endroit du cœur, comme pour le protéger, puis elle me révèle qu'elle est venue me retrouver pour fuir, non pas le vacarme de la ville, mais ces incessants va-et-vient en enfer, cette vie qui n'en est pas une, avec Jeanne, Jeanne, enfermée dans ce chagrin sans retour qui la mine alors qu'elle a déjà atteint un si grand âge. Bé se sent coincée comme dans le goulot d'une bouteille, un étau qui, jour après jour, impitoyablement, se resserre autour d'elles. Elle sait ce que j'endure à cause de mes prises de position publiques, de mon travail au journal, alors, elle me dit: «J'ai changé une tourmente pour une autre, c'est vrai, je le sais. Mais... il faut bien vivre quelque part. Au moins, je suis un peu plus tranquille ici. Et je peux me le permettre, Jeanne n'est pas toute seule, il y a des gens qui lui rendent visite et puis Hortense, toujours fidèle, ne la quitte pas d'une semelle. Clarisse ne manque pas de passer, même pour quelques minutes, les jumelles également, de temps à autre.»

Tante Bé, du temps où elle vivait avec nous, a toujours mal supporté la présence de Charlot. Elle se sent plus libre de revenir ici à présent qu'il n'y est plus. Secrètement, son départ la réjouit. Et comme elle s'inquiète beaucoup de me savoir si seule, elle pense qu'il est de son devoir d'être à mes côtés.

Richard, petit-fils unique de Jeanne, a disparu, un après-midi, en rentrant de ses cours. Cela s'est passé tout juste après les élections. On n'a jamais eu de ses nouvelles depuis. Des gens disent l'avoir vu monter dans une Vauxhall noire, un véhicule sans numéro d'immatriculation. Autant dire qu'il est monté dans son cercueil. Ce véhicule appartient à un certain Romain, né carnassier, assassin de naissance. « C'est inscrit dans ses pupilles, dit Bé, dans ce regard bovin, cruel et sanguin qui est le sien. » Tout comme Richard, deux autres jeunes, des leaders étudiants, ont été, le même jour que lui, kidnappés par ce loup-garou sur la route de Pétion-Ville.

Depuis la disparition de Richard, Jeanne a perdu la tête. « Ma vie n'est qu'une promesse déçue », marmotte-t-elle jour et nuit. Richard était, en effet, une véritable promesse. Étudiant brillant, âgé de vingt ans à peine, il se préparait à une deuxième année de médecine dans un pays où plus des trois quarts des habitants n'ont jamais vu un médecin de leurs yeux.

La vie de Jeanne s'est depuis transformée en une valse de questionnements, de démarches qui n'aboutissent pas, d'attentes vaines et, surtout, d'espoirs inutiles. Sitôt réveillée, explique Bé, Jeanne se met à penser au jour où il reviendra. Elle se dit qu'il reprendra sa place parmi nous comme si ce départ n'avait jamais eu lieu. Dans la maison, tout sera comme avant.

Une fois habillée, elle grimpe l'escalier. À chaque marche, elle s'arrête. Son cœur ne va-t-il pas tout simplement cesser de battre ? Ses membres de bois se traînent, bois contre bois, raclant le bois vieilli des marches. Elle refuse de se faire aider, ne veut pas qu'on la dissuade. Hortense, même, n'y peut rien. Elle monte et descend seule cet escalier raide. Offre-t-elle cette montée comme un calvaire ? Quelle récompense attend-elle au bout du sacrifice et de quel dieu ?

Lorsqu'elle atteint le haut de l'escalier, la dernière marche enfin, elle est à bout de souffle. Elle ne bouge plus. Elle pose la main sur la rampe, puis sur la poignée de la porte de la chambre de Richard. Que reste-t-il de Richard dans cette mémoire en charpie ? Des images vagues, la chaleur d'une voix taquine ? Personne ne sait que dire ni comment dire, elle ne permet aucune brèche dans laquelle on pourrait s'engouffrer pour atteindre son désarroi. Lorsque, enfin, elle entre dans la chambre, tous les bruits de la maison et du dehors s'évanouissent. Comment savoir ce qu'elle y fait, enfermée comme dans un sanctuaire ? Peut-être prie-t-elle. Elle doit regarder des photos, ces parchemins de tendresse vieillie. Au bout d'un long moment, quand on la croit endormie, nous parviennent ses gémissements. Ils annoncent les vagues de sanglots, puis le cri. Tout ce qu'il lui reste. Que le cri engouffré en elle. Tout se résume à ce cri qui lui lacère le sang. Ce cri dans son corps submergé par la douleur. Un corps déserté et abandonné de tout. Le cri, son monde. Le cri, son geôlier, sa prison.

À quand remonte son dernier repas ? Depuis quand a-t-elle vraiment dormi ? Elle n'en sait rien. Elle a perdu tous ses repères, sauf le cri et la douleur. Comme une hache dans sa poitrine, cette douleur cogne sans répit. Elle ne vit que pour sentir des crocs s'enfoncer en elle, loin, toujours plus loin. Ses yeux vides, ses lèvres desséchées, tout son être ne parle que de ce mal pour lequel n'existe aucune parole.

On se dit que ce chagrin, qui jour après jour grandit comme un lac sous ses pieds, finira par l'engloutir. On se dit aussi qu'à son vieil âge, trois fois trente ans, il ne lui reste plus rien à attendre. Mais elle attend. Le jour, tel un cours d'eau sans voix, elle traverse l'immense désert qu'est devenue son existence. Sur ses jambes maigres, enveloppées de bas aux couleurs funèbres, elle se traîne jusqu'au banc sous l'amandier. Elle attend. Elle contemple ses mains, les tourne, les retourne, suivant d'un index hésitant les lignes, les traces, qui auraient pu augurer cette saison d'amertume et de désespoir.

Souvent on la voit compter sur ses doigts, tout en marmonnant quelque berceuse d'un autre temps, surgie comme pour narguer sa mémoire encombrée par les échos du cri. Parfois, elle parvient à se rendre jusqu'au fond du jardin, s'étend à même le sol, se blottit dans les racines d'un arbre pour s'y perdre, pour s'y endormir à tout jamais. Recroquevillée sur les racines, elle ramasse des petits cailloux et compte les jours, les saisons, les siècles d'absence. Elle passe les soirées le plus souvent face à la porte d'entrée, elle égrène machinalement un rosaire, ses yeux éteints rivés sur la porte. Le temps n'est plus temps, mais falaises et éboulis qui charrient sa vie démembrée.

C'est qu'elle a vu grandir l'enfant après le départ en couches de la mère. Tel un arbre qu'elle aurait elle-même mis en terre, elle l'a couvé, aimé, comme elle n'aurait jamais cru possible d'aimer. Combien de prières, combien de neuvaines lui faut-il encore adresser à cette Marie mère de Dieu, de tous les hommes et de toutes les femmes pour qu'elle lui ramène l'enfant ? L'enfant parti. Celui dont elle n'entend plus la voix que dans ses rêves. Envolé, son enfant, ne lui laissant comme héritage qu'un cri sans fin. Dans son vieil âge, voilà Jeanne orpheline de tout. Dans la nuit sans clémence, elle attend quand même. Il arrive que soudain elle s'anime, comme si dans son cauchemar l'enfant apparaissait, se tenant debout devant elle. Dans ce songe cruel, elle ouvre les bras, tend l'oreille, pour ne percevoir au loin que les hurlements des chiens, mêlés au martèlement cadencé des pas des soldats.

Les paroles de Bé me font pleurer. Elle termine dans un accès de larmes et je dois la consoler comme on le fait pour un enfant. Je la tiens contre moi tout en pensant qu'elle semble lâcher prise avec l'existence depuis quelque temps. Ses esprits souvent naviguent si loin, loin d'elle-même. Il lui vient par contre des moments de grande lucidité où elle dit avoir évacué toute peur en elle. Elle pince durement les lèvres, ses narines frémissent, et elle clame, sans que je comprenne trop pourquoi : « Plus d'espace pour l'accablement dans ce vieux corps de femme ! Pas besoin d'être une Marie-Jeanne, une guerrière, pour défendre ceux qui viennent de nos entrailles ! »

Béatrice Imbert

La dévotion de Bé envers Jeanne et moi est sans limites. Cadette de trois sœurs dont Jeanne est l'aînée, Bé est la sœur de ma mère, et elle est devenue notre mère à Clarisse et moi. Elle avait été mariée quelques années, mais n'avait jamais eu d'enfants. Après le décès de maman, au cours d'un stupide accident de bateau dans les eaux de la Grand-Anse, Bé s'était retrouvée avec deux filles à éduquer.

En dépit de ses manquements et des contradictions héritées de son milieu, Bé avait voulu de toutes ses forces nous enseigner à demeurer debout dans la lumière, à affronter les coutelas. Vouloir vivre dans la dignité, vivre en femme debout, équivaut à s'engager dans la lutte, et tout cela, professait-elle, ne vient qu'avec l'instruction. Féministe avant la lettre. « Votre premier mari doit être votre papier ! » serinait-elle. Papier, pour signifier diplôme. « Sans instruction, on est loin de la dignité. » Comment imaginer que la dignité ne serait qu'une idée vague, un rêve inaccessible ?

Tout le monde dans la famille prétend que Bé affiche pour moi une préférence marquée. D'après papa, je rappelais à Bé son côté frondeur, il n'osait dire irréfléchi mais n'en pensait pas moins. Bé, de son côté, aime à répéter que je ne crains pas d'agripper la vérité par le collet. « Mika, au contraire de Clarisse, ne ment jamais, ne connaît pas la tricherie, elle n'est pas une fabulatrice.» «Elle ne sait pas, brocarde Clarisse, combien tu te mens à toi-même, ma très chère sœur, à propos de ton idiot de mari, entre autres!»

Bé s'est par la suite occupée de mes enfants. Elle ne nous a quittés que lorsqu'elle a compris que la détestation qu'elle nourrissait à l'encontre de leur père allait croissant à mesure qu'elle prenait de l'âge, et lui faisait vivre une tension perpétuelle, amère et difficile à contrôler. Cela devenait dangereux, pensait celle qui ne daignait même plus répondre au salut de Charlot.

Cette aversion sans nuances de Bé à l'encontre de Charles-Émile venait d'une source lointaine dont personne ne connaissait le secret. Elle disait cependant, lorsqu'on l'interrogeait à ce sujet, qu'il n'y a rien de mieux que l'expérience. «Après avoir connu Benoît Cheminot, je n'ai qu'à croiser un homme pour savoir de quel moule il sort.»

Peu de gens se rappellent que Béatrice Imbert avait été pendant quatre années, qui lui avaient paru quatre siècles, l'épouse de Benoît Cheminot, pharmacien, qui tenait boutique rue Piquant. Un porche immense, une rangée de quatre portes à double battants. La grande pharmacie s'étendait sur deux espaces. On pouvait y accéder indifféremment par la première série de portes, les autres halls abritant, l'un, une boulangerie, l'autre, une mercerie, dont l'enseigne, «Aux belles choses, chez Janine», clignotait avec un petit air gai dans la nuit. Les gens du quartier, pour aller à la pharmacie, disaient tous aller chez le pharmacien, parce qu'il vivait à l'étage, tandis que sa boutique occupait la partie avant du rez-de-chaussée.

On imaginait à l'arrière des locaux pour l'entreposage des produits et médicaments, ainsi que pour leur préparation. Tout le voisinage savait que le pharmacien interdisait formellement à son épouse de mettre le nez hors de la maison sans lui. Béatrice était sa propriété, elle existait pour s'occuper de lui, de ses affaires, de son commerce, tenir sa maison. Pour couronner le tout, il la couvrait d'injures, l'accusait de coucher avec tous les hommes de la ville, et baisait comme un pied. Dès le premier jour, Béatrice comprit que c'en était fait pour elle. Elle sut très vite que Benoît Cheminot entretenait à gauche et à droite des amants. Cheminot ? Un fieffé hypocrite, rageait encore Bé. Cet homme ne l'avait épousée, affirmait-elle, que dans le seul but de sauver les apparences.

Il était difficile pour nous de croire à une telle histoire, qui pourtant était vraie. Il nous était surtout impossible d'imaginer notre Bé vivant un tel drame. Comme quoi l'existence recèle parfois de ces mystères, de ces unions incompréhensibles, disait Clarisse. Celle-là, en tout cas, en avait intrigué plus d'un. On les voyait parfois sortir tous les deux, lui trottinant, gras, court sur pattes, arborant une pipe qu'il tétait à longueur de journée, et Béatrice, essayant de ralentir le pas pour demeurer à sa hauteur.

Béatrice était une femme grande de taille, forte, costaude même, dotée d'un visage fort beau et harmonieux. Elle avait un teint de prune, des yeux en amande qui pétillaient sans cesse. À côté d'elle, ce fameux Benoît faisait l'effet d'un gnome, grognon par surcroît. Ce mariage, pour Béatrice, était rien moins que dévastateur. Un constat, malheureusement, arrivé trop tard. Les ravages étaient là, les séquelles à jamais présentes. Comment oublier, disait-elle, les rares fois où elle avait tenté mise au point, discussion ou rapprochement avec Benoît. Elle revoyait encore les dents qu'il lui montrait. Il avait la mauvaise habitude de serrer la mâchoire comme un forcené, expliquait Bé, et il avait de vraies dents de canasson! Si au moins il avait été bel homme, poursuivait-elle, un brin coquine, ou encore s'il avait su faire l'amour! « Tu oublies une chose, gloussait alors Clarisse: il était surtout doué pour les hommes. » Déroutée, Bé nous regardait comme si elle tentait de reprendre ses esprits, avant de soupirer: « C'est vrai, ma fille, je l'oublie souvent. Il avait des tas d'amants. Une vraie catastrophe ce Cheminot », finissait-elle.

Bé s'était sans aucun doute mariée, comme tant de filles en ces années-là, avec le premier venu. Agissaient-elles de la sorte dans le but de soulager leur famille, pour fuir une éducation à la dure et trouver ce qu'elles croyaient être l'amour, pour avoir un lieu bien à elles sur lequel elles espéraient régner, et pour vivre une vie sexuelle qui, pour beaucoup d'entre elles, n'était que mystère et fruit défendu? Elle ne savait que répondre lorsque nous la questionnions. Nous devinions qu'elle s'était, comme tant d'autres, attelée à cette vie avec courage, entrant en mariage comme on entre en religion, animée de bonnes intentions.

Un samedi soir, Benoît Cheminot, sans un mot d'explication, sortit, comme à l'accoutumée, en barricadant toutes les portes de la maison. Béatrice venait de passer plus d'une semaine sans mettre le nez dehors. L'homme que j'ai épousé, se dit-elle, me garde ici telle une captive, sans aucun espoir de libération. Pourquoi accepter tous ces affronts? Il ne reviendra qu'au petit jour, occupé qu'il est à se vautrer dans le lit d'un homme. Et moi qui suis là, à cautionner cette mascarade. N'ai-je pas assez perdu ? J'ai perdu dans cette maison, se dit-elle, jusqu'à la clé des songes, il est temps pour moi de sauver ce qui reste.

Aux environs de quatre heures du matin, Benoît revint de ses sorties nocturnes. Il rentrait toujours l'air abruti, épuisé comme sous l'effet de quelque drogue, ramenant sur ses vêtements et sur sa peau des effluves acides d'alcool et de sperme. Il arracha ses hardes, les envoya valdinguer dans la chambre, puis ordonna à sa femme de venir le laver. C'était le rituel du dimanche matin. Sans dire un mot, Béatrice s'en fut chercher un broc d'eau tiède, une cuvette et une serviette. Elle le nettoya. Elle n'en avait pas terminé que déjà il ronflait.

Vers onze heures, avant que Benoît émerge du sommeil pour réclamer son déjeuner, elle décida de passer à l'offensive. Elle revint dans la chambre avec un bidon contenant un mélange qu'elle avait préparé. Tenant fermement le bidon, elle s'approcha du lit, regarda l'homme endormi. Un tambour de révolte battait à ses tempes. Elle comprit que l'effroi était là aussi, avec la rage, lorsqu'elle vit ses bras trembler. Elle se rebella contre elle-même, allait-elle faiblir ? Elle fit appel alors à cette détermination silencieuse qui était la sienne en toutes circonstances, la même qui lui avait permis d'encaisser près de cinq années de souffrance avec cet homme sournois et pugnace. Elle inspira profondément puis, l'appelant doucement « Benny, Benny », elle le réveilla.

Benoît Cheminot ouvrit des yeux furibonds, prêt à crier quelque insulte ou à la rouer de coups. La voix de Bé le cloua sur place. Interdit, il la fixait. Sans élever le ton, elle lui dit :

— Tu vas m'écouter jusqu'au bout et je ne veux pas entendre un seul mot. Ton règne est fini, Benoît Cheminot, je m'en vais. Ma valise est prête. Tu fais un mouvement, je t'arrose avec le contenu du bidon.

Elle vit son regard désemparé faire le tour de la chambre, comprit qu'il lui fallait agir vite. Tenant haut le bidon, prête à le lancer, elle poursuivit :

— J'ai eu assez de ces quatre années avec toi pour apprendre par cœur tout le répertoire de la haine, apprendre aussi comment fabriquer le plus terrible des poisons, là, dans ce bidon. Une seule goutte sur ta peau et tu es cuit ! Il y en a assez pour anéantir toute ta descendance.

Benoît essayait de garder un visage froid. Sur un ton qu'il voulait menaçant, il grogna :

— Je t'interdis de proférer des bêtises !

— Ferme-la ! lui répondit Bé. Je ne saurai jamais ce qui t'a façonné tel que tu es, et je n'en ai cure. Mais je veux te dire que je me suis procuré un pistolet. À partir de maintenant, je le porterai en permanence sur moi. Le jour où tu essaieras de me barrer la route, je n'hésiterai pas à te descendre. J'ai aussi de l'essence, du papier, du bois de pin, des allumettes. Si j'entends un seul couinement de tes pas, si tu t'avises de me poursuivre, sans hésiter je mettrai le feu à cette maison. Tout ce qui restera de toi, ce sera de la graisse ruisselant dans le caniveau.

À reculons, Bé sortit de la chambre. Elle ferma la porte à double tour et quitta la maison.

***

Bé ne faisait de cadeau à personne. Elle avait tenu à s'instruire, lisait beaucoup, s'était abonnée à plusieurs publications, magazines et revues, consciente qu'elle avait le devoir de s'armer parce que la vie lui avait mis dans les bras deux filles, deux orphelines à élever. Combien de fois leur avait-elle conté l'épopée de sa vie ? Et le regard de Bé, lorsqu'il lui arrivait de plonger dans cette histoire, le regard rivé sur des images qu'elle seule voyait avec netteté, représentait pour nous tout un paysage. C'était un regard qui, à présent, se voulait calme, serein. Il donnait pourtant à Bé des mots secs, un œil de glace. « C'est mon héritage des hommes », clamait celle qui ne craignait nullement de choquer, en disant qu'après avoir connu l'enfer, elle préférait se ruiner en achetant tous les godes de la Terre. Elle prétendait en avoir toute une collection, qu'ils avaient tous des noms puisqu'elle avait pris soin de les baptiser, plutôt que de rentrer un bipède sans consistance dans son lit. « De temps à autre, ajoutait-elle, à peine troublée par nos mines ahuries ou consternées, ça peut toujours aller ; mais déposer en permanence dans les mains d'un homme le soin de mes envies, de mes jouissances, jamais ! Pour la tendresse, je me fie à vous », concluait-elle, nous faisant un clin d'œil. Je savais qu'elle me visait, pensait à mon mariage avec Charlot. Je baissais la tête. Elle esquissait un sourire triste, un sourire qui s'effaçait aussitôt dans les brumes du souvenir.

Les femmes délabrées

Longue conversation ce matin avec Clarisse, qui s'inquiète de la santé de Bé et de Jeanne.

— Elles vieillissent si vite, toutes les deux, Mika – un trémolo agite sa voix – je les sens partir chaque jour un peu plus loin, un peu plus rapidement. Bé s'en va, emportée par le silence dans lequel elle a décidé de s'emmurer, puis à présent, une sorte de démence – nous ne pouvons faire semblant de ne pas en être conscientes – et Jeanne, engouffrée dans son cri. J'essaie de passer plus de temps avec Jeanne chaque jour mais cela me déprime tellement, Mimi, de la voir se laisser aller ainsi vers la mort. Lorsqu'elle a de la compagnie, elle sort un peu de son hébétude mais chaque jour après l'avoir vue, je rentre chez moi en pensant ne pas la revoir le lendemain. Son désespoir est si grand.

— Ce qu'il nous faut comprendre, Clarissa chérie, c'est qu'elles sont toutes deux bien vieilles comme tu viens de le dire toi-même, et cette année qui vient de s'écouler leur a apporté plus de chagrin que la vie tout entière. Jeanne ne se remettra jamais de la disparition de Richard.

Dimanche midi, nous voici réunis en famille. Essayant de reprendre la vie là où nous l'avons laissée, déclare Clarisse. Nous sommes avec les enfants chez Jeanne, pour déjeuner. Sonia et Maria semblent soucieuses. Quant à Félix, toujours taciturne, il a mangé sans prendre part à nos conversations puis s'est aussitôt réfugié loin de nous, dans ses lectures. Au moment où je prenais le café assise entre Jeanne et Bé, il est revenu vers nous. Je l'ai senti très ébranlé, jamais il ne s'est autant collé à moi. Pour la première fois depuis cette crise, il me demande ce qui se passe au journal, pourquoi je continue à m'y rendre. Les automobiles des carnassiers sont moins visibles sur le chemin de la maison, je lui réponds; mais je ne me rends malgré tout presque plus au bureau. De toute façon, je suis si préoccupée par tellement de choses que je n'arrive pas à écrire. D'ailleurs, mon dernier article sur les meurtres de Ganthier tout comme celui sur la réforme agraire, que j'ai fini par remettre lui aussi, attendent encore d'être publiés.

Clarisse s'occupe en chantant des plantes de Jeanne, qui dépérissent elles aussi. Sa voix rocailleuse a toujours irrité Félix. Il me demande quand nous allons reprendre une vie normale. À quinze ans, c'est évident, il a besoin de se retrouver chez lui. L'espace d'un instant, je me sens mise en cause: que puis-je offrir d'autre à mes enfants?

— Je voudrais tant te donner des réponses qui pourraient te satisfaire, Félix. Il faut être patient.

En présence des enfants, j'ai le sentiment d'avoir perdu le contrôle de mon existence. Ma vie, depuis quelques mois, semble se résumer à ce va-et-vient insensé entre Jeanne et Bé. Me voilà une fois de plus assise entre deux vieilles femmes qui font le compte de leurs peines. Lorsque je suis avec elles, pour faire passer le temps, je tente de lire, de très vieux classiques surtout, toujours les mêmes. Sans doute parce que cela me demande moins d'effort, avec cette impression tenace – cela doit venir de

Bé, de cette obsession pour le savoir et la chose écrite qu'elle nous a transmise – que je vais découvrir dans ces lectures quelque chose de significatif, une vérité atemporelle qui me permettra de mieux comprendre l'incompréhensible autour de moi.

J'ai entre les mains un exemplaire tout écorné de *L'Île des esclaves* de Marivaux. Tout en parlant, je feuillette l'ouvrage en me disant que Clarisse va certainement, une fois de plus, se moquer de moi, de mes lectures désuètes, comme elle dit. Marivaux, assènera-t-elle, amère, écrivait ce texte, tout ce qu'il y a d'utopique, en 1725. Tu es à même de tirer tes propres conclusions en regardant l'état du monde !

J'observe Jeanne, toute fripée dans son fauteuil. Elle a les yeux rivés sur Félix, dont les traits doivent lui rappeler Richard. Malgré le temps chaud, elle frissonne, drapée dans un amas de châles et de couvertures, comme si elle espérait trouver dans les plis de ces chiffons familiers un réconfort qui n'existe nulle part. Je prends ses mains. Elles sont froides. Je sens ses os, comme si la chair devenait chaque jour de plus en plus mince. Jeanne ne s'alimente presque plus. J'ai compris que Bé souffre trop de la voir ainsi se laisser aller, doucement, enfermée, comme elle le dit, dans son cri. Lorsqu'on écoute attentivement Jeanne, on se rend compte qu'elle est quand même de temps à autre consciente de ce qui se passe, car elle me dit soudain : « Pourquoi nous est refusée une vie normale, ne sommes-nous pas en droit de vivre loin de tous ces chagrins ? »

Sur le trottoir, une jeune fille passe, pressée. Le claquement scandé de ses talons sur le trottoir attire l'attention de Jeanne. Elle lève la tête, lui jette un regard lourd de compassion, se rappelle à sa vue qu'un autre monde existe et souffre hors de ses murs. Elle se penche vers moi, me tire le bras pour que je m'approche d'elle. Elle murmure :

— Tu vois cette petite qui passe là-bas, regarde-la comment elle marche, regarde son dos voûté, elle est presque bossue. C'est Marie Nina, la fille d'Ismène. Nous l'avons vue naître et grandir dans le quartier, tu te souviens ? Vois la fille, comme elle ploie. Tout est trop lourd pour nous désormais. On dit que son patron l'oblige à se prostituer pour garder son poste. Tu crois que c'est vrai ?

Son regard s'embue. Elle enchaîne :

— Elle ne doit pas avoir plus de dix-huit ans, tu sais. À peine dix-huit ! Quelle calamité nous vivons là, Mimi ! Mais elle ne peut rien faire, la pauvre, ils sont si puissants. Ismène, la mère, ne travaille plus. Elle ne peut pas. Tu le sais, elle avait de peine et de misère monté ce petit bazar d'articles de couture. Elle a tout perdu lorsqu'elle est tombée malade. C'était assez grave, une attaque cardiaque qu'elle a eue, comme ça. Elle a été obligée de fermer. Elle a fait faillite. Eh bien, il semble que le mari d'Ismène, André, il était maçon ou peintre, je ne sais plus, il a disparu, après une altercation au bord de mer avec un nommé Éloïs Maître. C'est ce que les gens disent. Cet Éloïs Maître, un ancien boulanger, a fermé sa boulangerie pour entrer lui aussi dans la confrérie des assassins. Il mange désormais à la même auge que ce monstre qui est devenu président. Quel temps nous vivons là ! Pauvre petite, soupire Jeanne. À présent, elle doit s'occuper de toute la famille. Elle a une ribambelle de petits frères et sœurs.

Jeanne ferme un instant les yeux, se détend, les ouvre à nouveau et me regarde à présent comme en attente d'une parole, ou de lumière. Je ne dis rien. Alors elle continue à se coller contre moi. Je sens ses ongles, ses doigts osseux m'agrippant, me rappelant son désespoir et, malgré l'épaisseur des chiffons, je sens aussi son cœur qui bat, qui se bat pour elle.

Je la regarde avec attention, consciente que le temps passe beaucoup plus vite aujourd'hui pour elle que pour moi. Se trouve-t-elle déjà sur l'autre rive ? Je retrouve dans ses yeux un éclat qui me rappelle ceux de maman. Serait-ce parce qu'elle pense, en ce moment où nos souffles se mélangent, à cette sœur, cette part d'elle-même à laquelle je ressemble tant, si tôt, trop tôt envolée ? Jeanne est désormais plus près de maman que je le suis. Mais avec ce vent cannibale qui souffle sans répit, sait-on jamais ce que nous réserve le jour qui vient ? Des larmes silencieuses baignent ses joues chiffonnées. Quelques instants plus tard, doucement, elle me confie :

— Quand je n'ai pas la force de crier, je pleure.

Sa voix, à présent, est celle d'un tout petit enfant.

— Il me faut crier, Mimi, comprends-tu ? Le silence, pour moi, est beaucoup plus violent que la violence subie. Depuis qu'ils me l'ont enlevé, je crie tous les jours. J'ai dans les entrailles des nuits et des jours pleins de cris. Plus que mes cris pour continuer à vivre. Comment aurais-je pu penser qu'au bout de mon âge, je ne serais rien mais rien d'autre qu'un cri ? Le cri d'une femme désormais sans nom, une carcasse délabrée. Bé me rabroue lorsque je m'exprime ainsi, mais que suis-je d'autre, puisque mon nom, mon enfant, mes entrailles ont été livrés aux pourceaux ? Je ne suis qu'une femme délabrée. Je ne suis plus rien, répète inlassablement Jeanne. Cependant toutes mes nuits sont encore habitées par le même rêve insistant : celui où nous arrivons au temps où la peur change de rive et de visage.

***

Le matin, Bé se lève toujours très tôt. Auparavant, lorsqu'elle vivait encore avec moi, elle faisait ses premiers pas dans l'aube, dans ce jardin où les enfants allaient la retrouver, lui voler sa quiétude, troubler ses interminables soliloques. Pieds nus, les cheveux dénoués, elle y marchait en retenant d'une main sa chemise de nuit dont l'ourlet était déjà trempé par la rosée, cette même rosée qu'elle recueillait ici et là pour s'en frotter le visage, en nous racontant que c'était bon pour la peau. À présent, délaissant le jardin, elle se tient sur les marches du perron. Je comprends sa peur quand on sait qu'ils n'ont pas hésité à lancer cette énorme roche jusque sous ma fenêtre. J'en tremble encore. Chaque jour depuis son retour ici, je la trouve sur le perron, debout, immobile, une pierre figée dans le temps. Elle peut passer ainsi des heures à regarder sans voir la masse mouvante qui déferle jusqu'au bas du morne, sur ce chemin toujours pareil avec, désormais, cette lumière sans joie même à l'aube.

Le regard vague, elle se tripote les doigts, exécute des petits mouvements rotatoires, comme pour un massage. Mais je sais qu'elle est en train de compter elle aussi, tout comme Jeanne, compter encore les semaines, les mois, les jours de siège, et les nuits sans sommeil depuis le rapt de Richard. Et elle a juré que dans son cercueil, elle continuerait à compter s'il n'était pas revenu avant son départ.

Ce matin, alors qu'elle scrute attentivement les lignes de ses mains sèches, suivant pendant un instant un tracé de veinules, elle se retourne, me fixe de ses yeux gris et dit :

— Regarde !

Je tourne la tête mais ne vois rien. Rien que le chemin qui descend et les silhouettes anonymes.

— Regarde, reprend-elle.

Ses paupières clignent comme agitées par un tic nerveux.

— Les enfants jouaient jadis dans le matin. Tu t'en souviens ? Dans le jardin. Dans le matin. Richard, Soledad et les autres. Regarde. Ils ne sont plus là, n'est-ce pas ? Il ne reste plus que les sanglots. Dans ma tête, partout, les sanglots. Tu les entends, pas vrai ? Cette ville va disparaître jusqu'au dernier sanglot.

De la poche de son peignoir, elle sort une petite boîte de métal dont la peinture verte s'écaille. Précautionneusement elle l'ouvre comme si elle craignait que le contenu ne s'évapore. Ses doigts tremblants façonnent maladroitement deux bouchons de ouate grisâtre. Elle essaie du mieux qu'elle peut de les enfoncer dans ses oreilles, tandis qu'elle marmonne : « Ne plus entendre... ne plus entendre. »

À la lisière du vide, au fin fond de l'inacceptable, l'écho de cet univers dément en Bé.

Le siège

L'article sur Ganthier a finalement été publié hier. « Virulent et partisan », selon le commentaire d'un journaliste de *La Voix du Nord*, une radio à la solde des duvaliéristes. Salnave a appelé pour m'informer que le colonel Sony Borges en personne a téléphoné au journal pour proférer des insultes.

— Il voulait te parler. En ton absence, il s'est adressé au directeur. Au journal, ils sont tous terrifiés.

— Ainsi, ce fameux colonel Borges a appelé au journal. Étrange. Il aurait pu tout aussi bien se présenter chez moi en compagnie des spadassins qui ont envahi à nouveau la route, et que l'on retrouve partout dans le voisinage. Ils ont carrément décrété la permanence. Hier, j'ai compté jusqu'à quatre voitures gauchement camouflées dans les fourrés. Je ne peux quand même pas m'enfuir dans les montagnes ! Autant dire que le colonel sait où me trouver.

— Il va falloir redoubler de prudence, Mika.

Nuit d'horreur. Salnave m'avait en quelque sorte avertie. Les appels nocturnes ont recommencé. Matinée terrée dans ma chambre, volets clos. Je me gave de tisanes : corossol et mélisse. Je me faufile dans la chambre de Bé.

— Crois-moi si tu veux, me dit-elle à voix basse, ils veulent nous effrayer mais ils tremblent chaque nuit malgré le nombre effarant d'armes rangées sous leurs lits. C'est notre lâcheté qui leur confère leur force, je t'assure, Mimi, ils ont peur quand même.

— Mais ils ont l'aide de spécialistes, Bé, tu sais, des militaires américains, et des gendarmes français venus de Melun. Ils sont au fait de toutes les nouvelles techniques de répression et ne doivent pas avoir si peur. Ils ont certainement moins peur que nous.

La journée promet d'être longue. Images et voix des enfants lorsqu'ils avaient encore l'âge de s'amuser dans le jardin. Par la fenêtre, je les regardais s'ébattre dans la cour, tandis que Bé les surveillait.

Ma prière ce matin-là à un dieu sourd et aveugle : « Détourne-moi de toutes ces rumeurs confuses, de toutes ces voix habitées par la terreur. » Peine perdue. Ces conversations inquiétantes qui se déroulent à voix basse partout, ces nouvelles affreuses font partie de mon univers, envahissent jour après jour mon espace. Implacables, elles montent la garde autour de moi.

Nous prenons le petit déjeuner dehors, Bé et moi. « Pourquoi se terrer dans la maison ? proteste-t-elle. C'est inutile. Où que nous soyons dans ce pays, nous sommes en prison ! »

***

Depuis le début de ce siège, j'ai passé un nombre incalculable d'heures à analyser la situation sans y voir d'issue quel que soit l'angle sous lequel je l'aborde. J'aurais aimé pouvoir en parler à Soledad, Soledad, qui a cette faculté d'analyse et de réflexion si aiguë, si rationnelle, que je m'en remets souvent à elle. Soledad, qui a décidé à l'âge de dix-neuf ans de partir, rêvait déjà, dès l'enfance, d'ailes déployées, disait-elle, vers ces ailleurs, ces vies multiples qu'elle semble mener depuis son départ, entre études de philo, danse, peinture, et tant d'autres merveilles.

Aussi, quand le téléphone sonne, c'est avec stupeur que j'entends au bout du fil une Soledad qui fait de son mieux pour masquer ses inquiétudes. Elle annonce son arrivée demain, elle est en route. Pendant un instant, je perds l'usage de la parole.

— M'entends-tu, maman, m'entends-tu ? crie-t-elle d'une voix où l'angoisse perce de plus en plus.

Me voilà partagée entre le désir de cette présence aimée et les dangers contre lesquels il faudrait pouvoir la protéger. L'empêcher de venir ici, à tout prix !

— Non, Soledad, ce n'est pas possible ! je balbutie.

L'horizon est bouché.

— Je sais bien maman, je sais tout.

Avant même que je reprenne mes esprits, le déclic.

Le sol s'ouvre sous mes pieds, je glisse vers l'abîme. Comment sait-elle, que sait-elle ? je demande d'une voix que je ne reconnais pas. J'entends une sorte de couinement affreux, des petits cris aigus, d'où viennent-ils ? De ma poitrine ? De ma gorge ? Quelle calamité, Seigneur Dieu, je me lève, le dos voûté tant j'ai froid soudain. J'arpente nerveusement la chambre, puis je me réfugie dans le bureau.

Faut-il appeler Charlot, réclamer qu'il intervienne, qu'il appelle Soledad, lui ordonne de ne pas bouger ? J'appréhende un choc, une tragédie. Il ne faut pas que Soledad revienne ! À tout prix la dissuader, l'en empêcher. Il ne faut pas qu'elle vienne car la situation se dégrade. Après les scandaleuses célébrations du 22 octobre, le guide suprême a lâché tous ceux qu'on a amenés de l'arrière-pays pour faire le nombre, comme des bêtes, partout dans la ville. Ils dorment dans les fourrés, sur les pas des portes, s'introduisent chez les gens, armés de leurs fusils.

Hier, j'ai dû aller en ville renouveler une prescription : des Valium pour Bé, qui ne dort plus du tout. Tandis que je m'entretenais avec la pharmacienne, un camion a débouché en trombe dans la rue étroite. Dans un crissement de pneus, ils ont arrêté leur véhicule devant la pharmacie. La pharmacienne versait les comprimés dans le flacon. Elle dut s'y reprendre à plusieurs reprises tant ses mains se sont mises à trembler lorsqu'elle les a vus entrer. Les comprimés tombaient sur le comptoir de zinc dans un claquement sec, elle les recomptait, ils tombaient à nouveau. Une fois le flacon bouché, elle m'a tendu le sac et m'a demandé de revenir un autre jour pour payer. Je suis sortie de la pharmacie avec, dans les tempes, le bourdonnement affolé de mon sang, qui n'arrivait pas à couvrir leurs grognements de fauves. Tandis que ses acolytes, arme au poing, regardaient la pauvre femme qui risquait de perdre conscience et de s'affaisser derrière le comptoir, l'un d'eux se mit à aboyer : « Vieille salope, ne vois-tu pas que ton médicament n'a rien fait pour moi ? Cette chose malade que tu vois-là, entre mes jambes, eh bien, je peux te la faire bouffer ou te la foutre dans ton gros cul si tu ne me donnes pas tout de suite ce qu'il faut pour me guérir ! »

À ce qu'il paraît, la pauvre Madame Dulot n'ose pas fermer la pharmacie par crainte de représailles. Ils viennent tous les jours chercher quelque chose et partent sans payer. Ils arrivent en bande pour essayer d'intercepter son mari, Ernest Dulot, recherché par les chefs carnassiers Simon, Bertrand, Gracia, Delva, un certain Lolo, et deux autres qui ont nom Désinor et Novembre. Ils étaient tous là, hier, dans un camion, au coin de la rue. À l'entrée de la rue Chaumont, près de chez Jeanne, la terrasse du Petit Café des Amis était bondée de ces hommes armés, au regard abrité derrière leurs lunettes noires. Bruyants, puant l'alcool, ils gueulaient à tue-tête en frappant avec des gestes déments des marques de domino sur les tables et se passaient des flasques pleines de rhum. Par la fenêtre du café, dont on disait que le patron, Jean Toussaint, un homme paisible, père de cinq enfants, avait été jeté en prison puis assassiné, une musique à l'honneur du tyran se déversait, empoisonnant la rue et tout le quartier.

Colère de Clarisse

Nous sommes, Clarisse et moi, sur la route qui mène à l'aéroport. Elle fume cigarette après cigarette tout en conduisant, jure tel un charretier lors des embardées du véhicule, alors qu'elle essaie d'éviter les nids-de-poule. Moi, je récite sans fin le même poème de Rilke, et je pleure. Depuis l'annonce du retour de Soledad, je ne fais que verser des larmes.

C'est là que, pâles et blêmes, vivent des hommes
Qui meurent étonnés du monde dur à vivre.
Et nul ne voit la grimace béante
Que devient le sourire de cette douce race
Au long des nuits anonymes.

— Sais-tu, Mika, me dit soudainement Clarisse, que ces assassins qui se retrouvent au pouvoir ont déjà intercepté plusieurs personnes à leur descente d'avion et que la plupart n'ont jamais été libérées ?

Comme je ne réagis pas, elle enchaîne :

— Ils disposent d'une liste des passagers. Un officier de l'armée vérifie les noms à la descente d'avion. Tous ceux qui viennent d'Europe, des pays de l'Est particulièrement, sont détenus. Si au moins Charles-Émile avait daigné t'accompagner... Par sa faute, voilà que nous allons nous retrouver dans ce réservoir de malfaiteurs qu'est devenu l'aéroport. Je suppose que, comme toujours, il avait une excellente excuse pour se défiler et ne pas venir accueillir sa fille, pas vrai ? Si l'on touche à un seul cheveu de Soledad, il aura affaire à moi, crache-t-elle, la voix déformée par la peur et la colère.

Voilà qu'arrive ce que je redoutais tant, me dis-je, tandis qu'elle continue à blablater. Elle va parler de Charlot durant toute la durée du trajet. Je ferme les yeux mais comme un insecte entêté, la voix de Clarisse me poursuit. Offensée par mon silence, elle me harponne :

— Toi, Mika, tu as toujours été la même ! T'es-tu jamais demandé pourquoi tes actes ne correspondent pas à tes paroles ?

Les formules cinglantes de Clarisse sont ponctuées par ses affreux « tchipp », ces bruits de bouche qui ont le don de faire sortir Bé de ses gonds, et qu'elle qualifiait, lorsque nous étions adolescentes, du comble de la vulgarité. Je ne sais de quoi elle parle, et je ne veux pas le savoir. Je pense à ma rencontre prochaine avec Soli, que je n'ai pas vue depuis deux ans, et j'essaie de garder mon calme. Ses mots me parviennent à présent comme dans un brouillard où s'amalgament politique, relations personnelles, sentiments. J'aurais dû me rendre seule à l'aéroport ou encore solliciter l'aide de Salnave, ou peut-être celle de Jean-François. Je m'en veux de n'y avoir pas pensé et je me surprends à me demander si j'ai toujours été dépendante de Clarisse.

Le soleil lui-même sort en catimini ce jour-là. Rien qu'un voile de gaze recouvrant l'horizon. Mais il aurait beau briller, il ne parviendrait pas à masquer, ou même à faire oublier ces dangers qui nous entourent, tout comme le chapelet d'horreurs qui s'étend partout : béton, asphalte, immeubles éventrés, montagnes de détritus, odeurs nauséabondes, chiens errants, pelés, faméliques, chiens pleins de tiques qui se grattent furieusement au milieu de la chaussée, bruits insoutenables, fourmilières humaines, fumée dense, sirènes, arbres grisâtres couverts d'une épaisse poussière jaune et, ici et là, dans tous les recoins, les troupeaux de carnassiers à l'affût.

Nous regardons les gens aller: las de lutter, fatigués d'être sans cesse harassés par la meute.

— Ont-ils décidé de s'affaler pour toujours dans cette désolation? grogne Clarisse, qui finalement se résigne à changer de sujet.

— Que peuvent-ils bien faire, enfermés sur cette île? je lui demande.

— Des embarcations partent chaque nuit, chargées de paysans qui fuient exactions, meurtres et rackets organisés dans le but de leur confisquer leurs terres. Voilà ce qui se passe et ce qui s'est toujours passé ici. D'autres fauves remplacent ceux d'hier et ainsi de suite. Et nous sommes là, rien d'autre que des bêtes traquées.

— Faut-il couvrir l'océan de barques à la dérive pour qu'enfin cesse le massacre?

— Nous allons servir de nourriture aux requins! Et ceux qui survivent à la traversée iront pourrir dans les camps de concentration pour réfugiés indésirables aux États-Unis. Tu oublies l'arrogance de cette engeance qui aujourd'hui encore lynche les nègres! Ce sont les mêmes qui ont débarqué dans ce pays en 1915 pour nous asservir, nous obliger à nous courber devant eux en disant «oui bwana, oui misye blan!».

— N'oublie pas que nous sommes les premiers responsables de cette situation.

— Nul besoin de me le rappeler ! elle m'interrompt. Mais ils ont foutu la merde depuis le début ! Et permets-moi de te rappeler à mon tour qu'à ce chapitre, le rapport de forces est tellement inégal que nous n'avons aucune chance.

Elle lance tout à coup un de ses éclats de rire qui ont le don de m'épouvanter, puis elle enchaîne sans me laisser le temps de placer un mot :

— Nous avons malgré tout forcé ces tueurs à gages à retourner dans leur pays, et tu crois qu'ils nous le pardonneront un jour ? Assis sur leur prospérité, il ne leur reste plus qu'à chier sur le reste de l'univers et, crois-moi, ils le font allègrement. Ils sont de la même race que les Français, combien de fois faut-il te le répéter ? Oublies-tu tout ce qu'ils nous ont fait avant de foutre le camp ? Oublies-tu qu'ils ont tué Péralte, puis Batraville, qui luttaient contre leur présence dans ce pays ? Péralte, assassiné par les sergents Henneken et Button, lesquels ont été récompensés pour cet assassinat. Le cadavre de Péralte exposé sur une croix, symbole persistant, tenace, puissant. Le but d'une telle démonstration ?

— Nous montrer qu'en maîtres du monde ils allaient nous condamner à porter la croix ! Je connais le refrain, chérie.

— Eh bien, toi, toi, la journaliste, voilà ce dont il faut parler dans tes textes.

Clarisse ne nourrit pas beaucoup d'illusions sur la portée de mon travail au journal. Je ne lui en veux pas. Au fond, c'est son impatience légitime face à l'état du pays qui lui dicte ces propos pleins de fiel et, comme de coutume, je fais la sourde oreille.

— Péralte, il est vrai, lui dis-je enfin, a été assassiné par les Américains. Vrai aussi qu'ils l'auraient sans aucun doute tué d'une manière ou d'une autre, mais on oublie souvent qu'il a été trahi par un de ses officiers, Jean-Baptiste Conzé, qui a guidé les Marines jusqu'à son refuge. Ces discours de victimisation, tu le sais aussi bien que moi, ne servent pas notre cause, mais renforcent une irresponsabilité collective.

— Nous avons été si occupés à nous défendre avec nos pauvres moyens que nous n'avons jamais eu le temps de nous construire comme nation. Comment survivre dans un océan de rapaces à l'échelle mondiale? Nous n'avons même pas de voix! Nous n'avons jamais eu de voix depuis...

— Un jour, peut-être recouvrirons-nous cette voix qu'on a fait taire, je termine en soupirant.

Nous traversons un canal. Sous un pont brinquebalant, une eau boueuse: bêtes et gens y pataugent. À gauche, un bizarre enchevêtrement de ruelles qui prennent d'assaut une petite colline. D'autres venelles descendent, creusées tout là-haut, presqu'au faîte de la montagne. Là aussi, des cahutes, frêles abris si haut perchés qu'on les croirait retenus au ciel par un fil invisible.

***

Dans le hall d'aéroport bondé, il fait chaud et humide, l'avion est très en retard. Clarisse ne tient pas en place. L'atmosphère est irrespirable, il n'y a d'espace que pour les carnassiers: militaires, escadrons de la mort et leurs conseillers américains, français, et autres assassins téléguidés. L'aire de stationnement est encombrée de leurs automobiles semeuses de mort: grosses Citroën DS, Mercedes 220, Vauxhall, Jeeps. Clarisse tempête, se plaint de la chaleur, de la soif. On dirait qu'elle va se mettre à pleurer et moi, j'implore tous les saints du ciel. Je redoute plus que tout au monde les crises de Clarisse, pas maintenant, me dis-je, je n'aurais pas la force de le supporter. Un grésillement affreux des haut-parleurs annonce l'arrivée d'un avion. Bientôt Soli sera là.

Ultime coup de gong

Novembre et décembre: tristes et tellement sombres, en dépit du soleil toujours présent. Seule la présence de Soledad, Soli jolie, ainsi que la nomme Bé, apporte un peu de lumière dans mon existence. Comme il fallait s'y attendre, dès l'arrivée de sa sœur, Félix a décidé qu'il ne restait plus chez Clarisse. Bientôt ce sera au tour des filles, je le prévois déjà. La maison est un peu plus vivante, faut-il s'en plaindre? Mon isolement a assez duré. Avec Soli, j'essaie de retrouver le fil perdu, rattraper si possible les jours, les mois d'absence dans sa vie. Tellement compliqué d'être une mère, parfois. Ces deux années au cours desquelles, prise par mes activités à la Ligue des femmes en faveur du droit de vote, puis ces élections et ce qui s'en est suivi, ce maelström dans lequel ma vie s'est engouffrée, tout cela m'a un peu éloignée de Soledad.

Elle m'a quand même reproché de ne pas avoir fait cette année le voyage à Grenade pour lui rendre visite comme promis. Puis j'apprends, plus ou moins entre les lignes, l'arrivée dans sa vie de Javier, à cette façon qu'elle a de détourner le regard, mais surtout à cette expression de plénitude qui se lit sur son visage quand elle prononce son nom.

— Plus qu'un nom, et plus qu'une amourette? je la taquine.

Elle fait la moue et me demande si l'amour véritablement peut durer.

— Celui que je te porte certainement va durer toute la vie !

Félix, qui depuis le retour de Soledad ne la quitte pas d'une semelle, soudain se rapproche, se pend à son cou pour lui poser mille et une questions : Quel sport aime Javier ? Qu'étudie-t-il à l'université ? Viendra-t-il visiter Haïti ?

« Nous n'en sommes pas là. Pas encore, pas tout de suite. » Soledad se sauve en courant.

***

— Je ne suis pas préparée à toutes ces choses que les mères doivent savoir, doivent faire et dire à leurs enfants, pour les accompagner, je confie le soir à Clarisse. Soledad me revient femme et amoureuse, et me voilà si désemparée.

— Il y a plutôt de quoi se réjouir, Mika. Elle avance vite, c'est vrai. Je pense beaucoup à elle depuis que je l'ai revue et je me dis quelle force, quel caractère ! Tu ne devrais pas te faire de souci pour elle. Elle se serait étiolée ici. Tout ce qui semble banal, avec Soli devient un prodige. Elle est d'une telle finesse, pas une once de vulgarité dans ses remarques, exulte Clarisse.

— Mon problème est que j'ai l'impression que sa vie avance à une vitesse prodigieuse, une allure qu'elle-même ne parvient pas à contrôler. Elle prévoit rentrer à Grenade fin janvier et doit en plus de ses cours jouer dans une nouvelle présentation de *Yerma*.

— Où est le problème ? Soledad a le mérite d'avoir su dire non à l'enlisement, de ne pas avoir eu peur d'aller prospecter au-delà des limites que nous nous sommes en quelque sorte toujours imposées.

— Tu as raison, Clarissa chérie. Tout s'embrouille en moi : le futur des enfants dans ce pays, le pays lui-même et cette dérive dont on ne voit pas la fin. Félix, qui semble parfois si déprimé et je sens bien que c'est l'inquiétude à cause de la situation dans laquelle je me trouve et l'absence de perspectives qui le travaillent. Puis à présent, Soledad. Quand je la vois, j'ai l'impression d'avoir tenu un jour le plus beau des papillons au creux de mes mains et qu'il s'est envolé.

— C'est une belle image, Mika. Tu devrais célébrer cet envol. Le papillon s'élève, il ne va pas vers les profondeurs. Dans le vol, il y a une grande part d'euphorie. Rien de triste, rien qui doive t'angoisser, ma chère sœur.

***

Peu avant la mi-décembre, les deux chiens de Jeanne ont été retrouvés morts dans le jardin. J'éprouve une peine indescriptible lorsque je me rends chez elle et que je ne les vois pas accourir vers moi, langue pendante, truffe humide. Leur humanité, leurs marques d'affection me manquent. Jeanne est si affaiblie qu'elle ne pense même pas à demander ce que sont devenus ces chiens qu'elle aimait tant. Peut-être sait-elle et ne dit rien.

Toni ne monte plus nous voir. Accompagnée de Soledad, je suis allée lui rendre visite. On sent la peur partout chez elle, comme une présence, embusquée dans un coin de sa maison à la guetter. Elle jette des coups d'œil de biais en égrenant son rosaire et ses litanies insolites. Toute sa sérénité, tout son courage semblent l'avoir abandonnée. Je lui demande ce qui se passe, pourquoi elle paraît si désorientée. Elle me prend par la main pour me conduire à sa chambre. Là, elle ouvre un placard, s'y engouffre avec moi pour chuchoter :

— Une Vauxhall noire vient se poster devant toutes les nuits depuis quinze jours. Hier, pendant la nuit, j'ai eu l'impression qu'il y avait quelqu'un dans le couloir. Et ce matin, sous ma fenêtre, j'ai trouvé une pierre peinte de goudron et de sang. J'ai creusé un trou et l'y ai enterrée.

Elle se signe. Des cernes violets sous ses yeux accentuent l'affolement qu'on y lit.

— Tout a commencé le jour où mon fils a envoyé paître un homme qui s'est présenté chez lui pour le recruter dans les rangs des carnassiers. Le recruteur, un nommé Abel Jérôme, était tellement sûr de son coup qu'il s'était amené avec un paquet sous le bras contenant l'uniforme bleu et rouge, un képi, des lunettes noires, deux foulards rouges. Emilio lui a dit qu'il allait lui arracher toutes les dents à l'aide de son marteau. Le même jour, Emilio a été contraint de fermer son échoppe et de s'enfuir on ne sait où. Depuis lors, la voiture se poste devant la porte la nuit. Elle est apparue le lendemain de cette histoire.

Avec ses yeux agrandis de terreur, Toni a l'air d'une démente.

— Emilio va-t-il finir par prendre un de ces canots de mort pour aller aux États-Unis ? me demande-t-elle.

Nous sortons du placard et rejoignons Soledad, qui regarde Toni et serre les dents. « Si ça continue, me dit-elle une fois hors de la maison, Toni va sombrer. Ne vois-tu pas combien elle est terrifiée ? Ça ne peut pas durer, elle va tomber malade. »

Nous ne nous aventurons au dehors qu'une fois par jour, entre quatre et cinq heures, lorsque les rues sont encore pleines de gens, ce qui, nous l'espérons, constitue une sorte de protection, ou tôt le matin, pour quelques courses rapides. Vers cette heure-là, nous disons-nous, les fauves n'ont pas encore pris leur poste aux encoignures, sous les auvents, dans les fourrés, prêts à nous sauter dessus.

Le journal continue à paraître. Plusieurs de mes confrères risquent leur peau. Le bémol est de rigueur ; du moins, c'est ce que réclame la direction. Une ligne éditoriale que la majorité des journalistes trouve difficile à suivre. Moi, je refuse catégoriquement. Autant me taire. À cela aussi je dis non.

J'ai tout fait pour dissuader Soledad de me suivre là-haut. En ville, chez Jeanne, elle est peut-être plus en sécurité. Rien de tout ce que je dirai ne réussira à la convaincre. « Je suis revenue dans ce pays pour être avec toi ! » m'a-t-elle répondu la dernière fois que je lui ai suggéré d'emménager chez Jeanne.

***

Ce matin, Place Boyer, un nommé Gérard Louis, accompagné de deux autres carnassiers, William Régala et Emmanuel Orcel, ont envahi la maison d'un homme qu'ils ont traîné dans la rue. La victime criait, s'adressait aux badauds : « Dites-moi, dites-moi donc quelle est la couleur du sang des carnassiers ? Il est temps pour nous de le savoir ! Ce sang de l'ennemi, quand allons-nous, enfin, savoir le reconnaître ? » L'homme refusait de faire silence alors qu'ils voulaient l'embarquer de force dans leur fourgon. Il a finalement été abattu au milieu de la rue. Les trois vampires ont déchargé leur arme sur lui. Ils laisseront, j'en suis sûre, son corps livré aux mouches pendant des jours. Tant de vies brisées dans ce pays avec son cœur en jachère depuis sa naissance. Dans combien d'années cette île sera-t-elle féconde ? Où se terre l'espérance ?

Nous sommes déjà le 2 janvier. Les jumelles sont venues nous retrouver peu avant Noël. Elles ont aussi décidé toutes les deux qu'elles resteront ici, avec Soledad et moi. Elles ne partiront pas. Pas avant que ces véhicules ne cessent leur va-et-vient sur la route, disent-elles. La nuit, les carnassiers font chanter leurs armes pour nous effrayer.

J'ai parlé à Bé ce matin. Tout comme Jeanne, elle donne des signes non équivoques d'incohérence. « Hier après-midi, me dit-elle, je suis allée au bazar. » Je ne sais de quoi elle parle, et n'ai pas voulu lui demander de quel bazar il s'agissait. Peut-être voulait-elle me conter un autre de ses rêves inquiétants. « J'allais de-ci de-là dans le bazar, disait-elle, il y avait beaucoup de monde malgré la pluie. Les gens flânaient comme s'ils avaient attendu cette pluie pour se laver. Il n'y avait pourtant rien à acheter. Tous les étals étaient vides, complètement vides. Les gens allaient, venaient, arpentaient les allées comme pour dire : nous sommes vivants, nous sommes là. »

J'essaie en vain de trouver les clés que livre l'inconscient de Bé. À deux reprises ce matin, je lui demande des nouvelles de Jeanne, et alors que celle-ci ne quitte presque plus son lit depuis Noël, stupéfaite, je l'entends dire qu'elle est partie aux Casernes Dessalines rencontrer le colonel. « Elle veut lui faire savoir qu'il est temps de lui remettre son enfant qu'ils gardent emprisonné ! Et nous avons décidé, Jeanne et moi, poursuit-elle, que si l'enfant ne revient pas après cette visite, nous irons toutes les deux, nous irons ensemble aux casernes et nous égorgerons le colonel ! »

Cette situation avec Jeanne et Bé me bouleverse, cela ne peut plus durer. Je passe chaque jour des heures à écouter Bé conter ses cauchemars, qu'elle prend pour la réalité. Toute sa vie désormais tourne autour du colonel.

De toute urgence, demain, téléphoner au médecin.

Nuit affreuse passée au téléphone avec Bé à essayer en vain de la calmer. Elle pleurait tant, refusant de se coucher avant de m'avoir conté son escapade imaginaire aux Casernes Dessalines, Hortense se sentit obligée de m'appeler. J'avais beau supplier Bé d'attendre le lendemain pour me parler, de retourner au lit, elle insistait et j'ai dû accepter qu'elle me raconte avec des détails d'une précision effarante sa visite au colonel.

— J'ai tourné la poignée puis j'ai poussé lentement la porte menant au vestibule. Retenant mon souffle, je me suis arrêtée pour prêter l'oreille, puis j'ai débouché dans une vaste salle encombrée de bureaux. J'ai jeté un regard circulaire puis j'ai vu contre un vieux bahut un objet qui semblait être une machette. À pas de loup, je me suis dirigée vers le meuble, et, sans hésiter, j'ai mis ma main sur l'objet mais je me suis vite rendu compte que cette arme, beaucoup trop lourde, ne m'aurait été d'aucune utilité. J'ai poussé une autre porte, elle s'est ouverte. Le colonel était là. Je te jure qu'il avait peur car il me voyait si décidée. Je lui ai dit : écoutez, colonel, sur la rive où aujourd'hui je me tiens, tous les paysages se confondent, mais je sais quand même reconnaître les monstres, qui, forts de leur bon droit et de leur toute-puissance, circulent le jour à visage découvert. Il y a ceux qui optent pour le crime, c'est leur affaire. Je ne suis pas ici pour négocier le rachat des endurcis, ni plaider le réveil des consciences défuntes. Je suis venue pour l'enfant qui dort dans mon âme, celui qui ne m'a jamais quittée, lui seul m'a conduite jusqu'ici. Je suis la surprise mauvaise, celle que l'on voudrait rayer. Impossible, colonel ! À mon âge, je peux être ce que bon me semble car je ne suis plus. Ces paroles ne sont pas les miennes mais celles du grand sablier. Je ne suis certainement pas de votre monde, colonel, dans le monde d'où je viens le destin n'existe pas, ni la peur ni la feinte pudeur. Voila pourquoi j'ai pu me traîner jusqu'ici à la recherche de l'enfant, celui que vos hommes ont emmené dans la Vauxhall noire. Nous l'attendons, Jeanne et moi, pour tirer notre révérence car, voyez-vous, nous sommes déjà toutes les deux sur l'autre rive. Il y a, lui ai-je dit, avant de lui tourner le dos, des mères qui vivent dans l'illusion, espérant la renaissance de leurs entrailles, et il y a moi, Béatrice Imbert ! Ne me demandez pas comment j'ai fait pour parvenir à votre antre, colonel ! lui criai-je. Vous ne le saurez jamais !

La voix de Bé montait, elle se mit à tousser. En sourdine, j'entendais Hortense soupirer.

— Je suis ici, colonel, poursuivait-elle, uniquement pour vous dire qu'on m'a déjà infligé tous les affronts, j'ai connu et surmonté toutes les douleurs, j'ai mené toutes les guerres. Au moment où je me tiens devant vous, je n'ai plus rien à perdre. J'ai déjà tout vendu, tout acheté, mon baluchon est prêt, je n'attends que le retour de l'enfant ! La détermination qu'il lisait dans mes yeux, mon sang-froid, Mimi, je te le jure, le clouait au sol. Tu sais bien, ma petite fille, qu'il n'y a pas plus lâche, plus capon que ces assassins. Je le regardais sans ciller et je sentais que la panique allait l'envahir. Pendant un instant, il se sentit totalement nu, j'en suis convaincue.

Il faut penser à faire reprendre d'autres médicaments à Bé. Les Valium ne suffisent pas. Je suis certaine qu'elle va refuser. Où trouver la clé?

***

Aujourd'hui, Charlot a téléphoné. Ses filles ont refusé de lui parler. Il me rend responsable de l'attitude de ses enfants. Il est leur père après tout, clame-t-il, elles lui doivent le respect. «Mais le respect n'est pas un dû, le respect se gagne», a été la réponse de Sonia. Je me suis gardée d'intervenir. Pendant un instant, à regarder les enfants qui se chamaillent comme au temps jadis, on pourrait croire que tout va bien, que ne subsistent dans mon âme tourmentée que les vestiges de la peur.

Impression fugace d'un bonheur encore possible, surtout quand je m'attarde à les contempler, le soir, jouant aux cartes ou aux dominos, cachés dans la chambre. Comme si nous attendions que ce vent de malheur change de route, qu'il abandonne notre horizon, que notre histoire familiale reprenne son cours, en marge de ce cauchemar. Je me regarde parfois dans le miroir, mon visage est raviné, lessivé. Je peine à me reconnaître. Tous ces cheveux blancs en si peu de temps! Et toutes les nuits ce même rêve annonciateur de quelle catastrophe? Je divague, ce rêve m'obsède. Il revient toujours avec les mêmes séquences, dans le même ordre.

D'abord l'enfance, j'ai environ dix ans. Sur la galerie, accroupie, je lis, je dévore tout ce que je trouve. Surgit derrière moi une vieille femme, ictérique. Je ne sais qui elle est, je ne distingue pas bien ses traits. Ils semblent changer tout le temps. Instinctivement, je cache le livre puis j'enfouis mes mains dans ma bouche qui gonfle comme un ballon. J'ai mal aux doigts sans trop comprendre pourquoi. Mes doigts savent-ils déjà qu'ils susciteront la haine des carnassiers ? Les mots tombent de la bouche de la vieille femme tel du grésil. Phrases couperet. « Assez lu ! À la cuisine, on a besoin de toi ! » Son regard implacable, ses yeux ternis par quelque chose d'inassouvi lancent des flèches, me pénètrent jusque dans les régions les plus intimes. Jaune, la femme suffoque sous le poids de l'indignation. « Mika a commis un livre », crie-t-elle, en tournant sur elle-même telle une toupie. Les mots glissent entre ses dents, elle les expulse, courbe les épaules, grimace sous l'effort, découvre ses incisives comme les chiens montrent leurs crocs. Elle siffle en serrant la mâchoire, porte la main à la poitrine puis, de sa voix vénéneuse : « Au début, elle écrivait en cachette, en pleine nuit, à la lueur d'une bougie. » Sa voix, rage et fiel. Elle lève un index décharné, une dague, qu'elle dirige vers moi. « Dès qu'elle a su assembler les mots, elle s'est mise à mentir, à mentir comme elle respire puis, avec les années, elle a commencé à inventer des histoires par milliers, des histoires sans queue ni tête. Nous pensions qu'elle trouverait un jour le chemin de la raison, que cette chimère s'évanouirait avec le temps. Hélas, non. Elle est si têtue. »

Ensuite un homme parle. Je ne le connais pas. Il prétend être mon mari, je ne sais pas. Il pourrait bien être mon père, mon cousin, un oncle ou un voisin. Qu'importe, la voix seule compte. De ces voix qui croient en ce qu'elles énoncent, avec une conviction raisonnée et sincère. « Elle est profondément anormale, explique la voix avec hargne, passant de l'hébétude, de longues périodes où elle vit prostrée dans l'attente douloureuse, à une obscure folie. Nuit et jour, seule dans sa chambre, elle noircit des papiers. Il faudrait un puissant contrepoison pour libérer ses sens et son âme, car sa raison tout entière se perd.» Un autre homme se lève soudain et se met à gémir: «Aidez-la! Elle doit être atteinte d'une grave maladie... je le sais, je le sens, je le jure...»

Interrogatoire implacable. Le juge n'a pas de visage. Sa tête, un globe énorme. On ne voit point ses yeux ni sa bouche, mais on entend sa voix. Tonitruante et mécanique. Debout devant lui, je joins les mains pour me concentrer, oublier la raison des bien-pensants, et résister. Résister au froid. Froid de l'ennui qui suinte par les parois de cette salle d'audience où l'on respire la poussière, les vieux papiers, les toges crasseuses. Froid de la peur qui fait son chemin en moi. Mon plaidoyer, longtemps ruminé, s'embrouille. La meute a relié un boyau qui va de mon cerveau à la gueule d'une vieille femme, qui me boit, m'aspire, me vide. Elle me boit par ses yeux qui me fusillent, par ses narines qui frémissent de haine. Elle me boira toute, m'aspirera jusqu'au dernier mot. L'homme dirige une fois de plus son index vers moi et je me mets à hurler: «Résister à l'excision».

Et je parle. Et je résiste comme on résiste à la douleur lors d'une mise au monde. Chaos sur ma langue, chaos dans mon ventre, mais les mots sortent. Ils doivent sortir, autrement ma vie n'a plus de sens. Mais les mots sont rebelles. La meute grogne pour couvrir ma voix. Je parle quand même, et je crie de nouveau: «Refuser le bâillonnement!»

Dans l'enfer des regards, je découvre que je n'ai pour moi que mes mots fêlés. Seule parmi les carnassiers, les bourreaux, les inquisiteurs, les idéologues, les moqueurs, les fossoyeurs. Le juge frappe de toutes ses forces, réclamant silence. Mais les mots continuent à envahir mes tempes, se bousculent dans mes entrailles, dans ma bouche. Ma voix refuse d'être prisonnière, explose, et je parle avec la certitude que les mots montent du sol vers moi, ils sortent de cette terre gorgée de sang, sang de la multitude bâillonnée. Et je crie : « Je suis un arbre à mots ! » Voilà, je porte les mots, tous ces mots qu'ils refusent d'entendre. Ma tête est mise à prix, je le sais. Je la vois rouler sur la grand-rue, dans un bouillonnement de sang. Les carnassiers l'envoient promener du bout de leurs souliers, comme un caillou. Satisfaction du devoir accompli. La meute crie : « Celui qui a péché doit expier ! » Mais avant, je dirai tout. C'est alors que le père ou le mari, cette voix de la certitude absolue déclare : « Tous les livres signés Mika seront détruits ! Je m'en chargerai moi-même ! » Il s'en chargera lui-même. Les livres seront brûlés. Ainsi soit-il ! Le juge hoche le globe qui lui sert de tête. Les vibrations d'un gong font trembler la salle. Un murmure parcourt l'assistance. Le juge se lève alors, pointe vers moi une main vengeresse et proclame : « Vous avez voulu casser le moule. Pour cela on vous condamne au silence et à l'oubli. Vous serez donc enterrée vivante ! »

Ultime coup de gong.

L'assaut

J'ai à peine fini de raconter ce rêve terrifiant à mes enfants que survient l'assaut. Nous n'avons pas entendu le bruit des pneus. Ont-ils monté la côte à pied ? Qu'importe, ils nous font basculer dans un abîme qui engloutit jusqu'à nos cris en cette nuit du 5 janvier 1958.

Soledad a posé sur la table la bouilloire fumante. Nous nous apprêtons à boire une autre tasse de mélisse. Félix et ses sœurs viennent de monter jouer aux cartes là-haut. Soli se dirige vers la porte qui donne sur la terrasse arrière pour faire entrer un peu d'air. Il fait si chaud. Cette terrasse, quoique plus vaste et plus agréable que celle située à l'avant de la maison, est rarement utilisée, car elle ouvre sur des buissons sauvages. On l'avait depuis longtemps abandonnée aux chats errants du voisinage, c'est par là qu'ils sont arrivés.

Soledad se rend compte en ouvrant la porte que l'eau de pluie a laissé çà et là de larges flaques sur les dalles de ciment. « Il faudrait bien essuyer toute cette eau avant que quelqu'un ne glisse et tombe », dit-elle. Elle descend les marches, se hisse sur la pointe des pieds en étirant les bras pour atteindre la serpillière accrochée au mur. Au moment où elle pose le pied pour retrouver l'équilibre, elle les entend dans les buissons. Dans la pénombre, à pas de loup, ils avancent.

Il faut dire que peu après l'angélus, les couteaux avaient réapparu dans le ciel. Il avait repris sa couleur d'encre. Je n'avais rien remarqué jusqu'à ce que l'une des jumelles, je crois bien que c'était Maria, entre dans mon bureau. M'agrippant par le manche, elle m'a traînée jusqu'à la fenêtre. Sans un mot, elle a fait un signe de la tête pour me montrer le ciel. Je ne sais pas interpréter ces manifestations que certains donnent pour des présages. De saisissement, je me suis mordu les lèvres, l'haleine de mort des assassins planait déjà sur nous.

Ces malfrats n'ont pas besoin d'enfoncer la porte, ils s'engouffrent dans la maison. L'un d'entre eux, le dénommé Breton Claude, agrippe Félix, qui descend l'escalier, par le col de son pyjama. Il le repousse avec une telle force que Félix va s'écrouler à l'extrémité de la pièce, derrière un canapé. Sous la violence du choc, il s'évanouit. Soledad, au même instant, se rue sur l'homme. Sonia, à son tour, se jette sur lui. Comme deux tigresses agrippées à lui, elles labourent ses mains de coups de dents. D'un geste, l'homme repousse Soledad contre la porte, puis, jetant son bras libéré contre le visage de Sonia, il lui casse deux dents de la mâchoire supérieure. Pendant ce temps, à coups de masse, les autres détruisent tout dans le bureau, dans les chambres, partout. Les cris d'épouvante poussés par Maria, terrée dans une chambre, alternent avec les coups de massue qu'ils assènent aux meubles et sur les portes.

Ils nous emmènent, Soledad et moi.

Nous bousculant, nous tirant par les cheveux, ils nous font dégringoler la pente. Ils sortent leurs véhicules des fourrés et nous poussent, chacune dans une voiture. Puis la nuit nous engloutit.

Coincée sur le siège arrière entre deux molosses puant la sueur, je me surprends à essayer d'imaginer à quoi doit ressembler une femme qui accepte de se voir posséder par ces animaux. J'essaie en vain de lui donner un visage, des traits. Comment, je me demande, soulevée de dégoût par les images qui défilent devant moi, comment une femme peut-elle accepter à ses côtés, dans sa couche, un homme qui arrive nuit après nuit les mains rougies du sang de ses victimes ? Se laisser toucher, prendre par ces mains, accepter que la bouche qui ordonne la mort ordonne nuit après nuit mots et gestes de l'amour ? Tout près de soi, contre soi, en soi, un bourreau, un assassin. On l'entend ronfler, on sent son souffle. Respirer le même air que lui, le voir tranquillement vaincu dans l'abandon du sommeil, trop tranquille. Diabolique ! Le diable, seul, peut agir de la sorte.

L'heure avait sonné où ces truands allaient imprimer leurs crocs dans ma chair et dans celle de ma fille, nous marquer toutes deux jusqu'au tréfonds de notre âme.

DEUXIÈME PARTIE

Grenade, 1974

Quinze ans, souvent un anniversaire important. À Grenade, où j'ai grandi, les familles originaires de l'Argentine, du Mexique, du Chili organisent alors repas et bals somptueux pour présenter, disent-elles, leurs filles à la société... Soledad ayant été une fois de plus hospitalisée pour dépression sévère, je passai cet anniversaire en compagnie de Maria-Luz. Rien de nouveau. Je n'ose imaginer ce que serait mon existence sans Maria-Luz, et je repense à notre conversation ce jour-là. Je comprends que Maria-Luz, passeuse de mémoire à sa manière, avait choisi ce jour de mes quinze ans pour me présenter à moi-même.

Nous avions à peine fini de déjeuner dans une atmosphère paisible lorsque je commençai à sentir monter en elle une sorte d'agitation. Je la voyais préoccupée, jouant nerveusement avec des miettes de pain qu'elle déplaçait sur la nappe. Inquiète à mon tour, je lui demandai des nouvelles de Soledad avec qui elle avait passé la matinée. Puis sa voix, tout à coup, se mit à retentir dans ma tête en un écho assourdissant.

— J'ai longtemps hésité, Junon... commença Maria-Luz.

Dans le tremblement irrépressible de sa voix, je perçus l'effort immense qu'elle déployait pour rassembler les fragments de son récit.

— J'ai reporté sans cesse, reprit-elle, le moment où je devrais m'acquitter de cette tâche.

Quelle armure, quelle palissade pour me protéger ? À mon tour, je me mis à trembler. Nous voilà, me dis-je, au jour où la scène accueille les acteurs en pleine lumière.

Les phrases de Maria-Luz bourdonnaient en moi. Au bord de l'évanouissement, la poitrine oppressée, je fis appel à toutes mes forces pour l'écouter. À peine consciente du trouble que faisaient naître en moi ses paroles, elle poursuivait :

— La première fois que nous nous sommes retrouvées, Soledad et moi, c'était dans une allée du Carmen de los Martires. Assise sur un banc de pierre, elle contemplait la vallée. J'ai pensé qu'il y avait là une femme qui me ressemblait. Ce n'était pas la première fois que je la voyais ainsi figée, toujours sur ce même banc, le regard tourné vers les montagnes, ou perdu dans les sentiers ombragés. À croire qu'elle avait toujours été là, qu'elle était née avec ces pierres, avait poussé comme les cyprès ; elle était, tout comme eux, emmurée dans son silence. Poussée par je ne sais quelle impulsion soudaine, je décidai ce jour-là de m'asseoir près d'elle. Le mois de mai avait été plus chaud que de coutume, juin était exténuant. Pour cette raison sans doute, elle avait du mal à marcher, sa grossesse étant bien avancée, et se laissait aller sur ce banc. Elle m'avait jeté un regard de biais puis, dans l'après-midi qui s'enfuyait, dans l'air immobile, quelque chose tout à coup s'était mis à vibrer. Ce n'étaient ni les libellules ni les abeilles, ni les soui-mangas dans leur ballet frénétique, mais bien sa voix, lorsqu'elle s'est mise à parler de la splendeur des bougainvillées améthyste qui prennent d'assaut les murs, des colombes qui vivent en paix dans les bassins à l'ombre de ces arbres centenaires, puis à balbutier : « Que je les envie, que je les envie. » D'instinct, j'avais compris que Soledad était comme moi un être en quête de consolation. Dans ces jardins, à l'ombre de ces arbres, nous étions, elle et moi, à la recherche, chacune, de quelque chose : une fraîcheur nouvelle, un signe, un espoir pour nos nuits tourmentées, mais surtout, d'un baume pour la déchirure. Nous y étions arrivées, chacune avec sa charge de douleurs et de tourments. J'étais rescapée d'une Espagne terrifiée au-delà de tout ce que l'on peut imaginer, l'Espagne des chemises brunes, celle des années 1930. La tristesse, tôt entrée en moi, ancrée au plus profond de mon être en ces années-là, y est demeurée. Tout comme Soledad, j'ai lutté et je poursuis encore mon combat puisque la vie, ai-je appris, n'est rien d'autre que cette très longue route sur laquelle il faut se battre pour demeurer debout et avancer. C'est sur cette route que je vous ai trouvées, Soli et toi.

Maria-Luz, tout à son récit, faisait peu cas des obstacles que je tentais de dresser sur sa route avec mes questions mal venues. Pourtant, plus que la trame de ma vie, plus qu'un fil, ce récit qu'obstinément elle poursuivait se transformait pour moi en une source d'eau lustrale. Elle me tenait simplement la main, exerçait une pression douce, un langage qu'elle seule comprenait mais qui me libérait de mon venin, peu à peu semblait le dissoudre.

Imperturbable, de cette voix ténue, filet d'eau qui suivait son chemin, elle continuait :

— L'atmosphère de l'Alhambra, en particulier cette paix des allées du Carmen, semblait alléger Soledad. Ces jardins somptueux lui offraient une pause loin des ténèbres : couleurs, lumière, et ce chant de l'eau partout présente. Soledad marchait du matin jusqu'au soir dans ce paradis de fleurs, de vergers, de fontaines, elle aimait tant les tons de rouille, l'ocre, le rouge et surtout le bleu qui paraient les murs. Elle touchait les pierres, posait son front contre le tronc rugueux des arbres en quête d'une réponse. Il lui arrivait de demeurer des heures les yeux rivés sur les murs, cherchant, dans les méandres des dessins, dans les mystères des textes qui y sont gravés un signe pour sonder l'abîme ouvert sous ses pas une nuit de janvier. Dans ces jardins, Soledad se voulait oiseau, elle luttait contre un assourdissant tumulte dans son corps, dans son âme et dans son sang.

— Ce tumulte, c'était donc moi, cet enfant dont elle ne voulait point ?

Ma voix se brisa, je me sentais pitoyable. Mais comment résister au besoin de saisir au vol une autre occasion d'étaler mes plaies ? Maria-Luz, les traits tendus, les yeux toujours fermés, riposta :

— La vie ne nous permet pas toujours de choisir les tumultes qui nous agitent, Junon. Nous devons par contre trouver moyen de les faire taire ou de les apaiser.

Elle fit une pause, ouvrit un bref instant les yeux, scruta le ciel, suivit le vol d'un oiseau qui planait, libre, et poursuivit :

— Soledad n'a jamais été encline aux longs discours. Je n'ai donc reçu d'elle que ce qu'elle a bien voulu me confier. Je ne lui ai jamais posé la moindre question, c'eut été, je le sens, une intrusion dans sa chair. Ses confidences alternaient avec les miennes et, au fond de nos silences, nous savions nous retrouver.

Elle était revenue d'un séjour dans son pays, laissé à l'âge de dix-neuf ans pour vivre dans cette Espagne qu'elle aimait follement des vies multiples, ainsi qu'elle le disait.

Là-bas, on lui avait tout pris. Combien de fois a-t-elle tenté de me décrire l'indicible, cette rage qui possédait Duvalier et ses hommes ? Elle finissait toujours par abandonner, pour s'abîmer dans des crises de sanglots. « Je sais tout de la race des carnassiers », lui disais-je, pour la calmer. Elle secouait la tête : « Non, Luz de mi alma, tu ne sais pas, tu ne peux pas savoir ! » Jusqu'à ce que je me décide à lui conter Guillena, à lui parler de ces dix-sept femmes, âgées entre vingt et soixante-dix ans lors de leur arrestation au cours de l'été 1937. Elles avaient un parent républicain ou anarchiste : un époux, un fiancé, un frère, fidèle à la République. Durant deux mois entiers, elles ont été maltraitées, tondues, puis exhibées dans les rues de Guillena, et à l'automne, au mois de novembre, c'est à Gerena, au cimetière, qu'elles furent conduites par les phalangistes et les gardes civils. Elles ont été fusillées puis jetées dans un trou. Parmi elles, Tata Eugenia, sœur de ma mère, puis mes tantes Alfonsina et Rebecca. Tía Rebecca était sur le point d'accoucher. Puis une autre fois, un 5 août précisément, je fis le voyage avec elle à Madrid, au cimetière de la Almudena. Face au mur où elles avaient été mises à mort, je lui relatai le sort tragique d'un autre groupe de treize jeunes filles, ces treize roses rouges, ainsi qu'on a pris l'habitude de les nommer depuis leur assassinat. Militantes des Jeunesses Socialistes Unifiées, qui avaient été arrêtées un mois après la fin de la guerre. Jugées sommairement, à huis clos, et fusillées aux premiers jours du mois d'août 1939. Elles avaient entre seize et vingt-neuf ans.

Voilà, Junon, ce dont nous parlions, Soledad et moi, de ces crimes fondateurs de nos sociétés, ces crimes que l'on tarde à nommer, que l'on s'obstine à occulter. Nous parlions, diras-tu, des mêmes choses, des centaines, des milliers de fois, nous plongions au plus loin de la douleur, au plus profond de l'agonie, mais nous savions, nous savions bien que tel était le prix de la renaissance. Ivres et accablées par nos secrets, nous ne nous quittions, aux portes de l'Alhambra, que lorsque tombait le jour, pour nous retrouver par la pensée dans le dédale de nos nuits sans sommeil. Tout comme moi, Soledad n'a toujours dormi que d'un œil, avec la peur et l'angoisse faisant la ronde, envahissant ses rêves comme ses silences. Certains soirs, la terreur la contraignait à chercher refuge chez moi et, au réveil, je la revoyais alors, le regard tellement triste. « Soli, lui soufflai-je, empruntant à son intention les vers du poète, mes tristesses, je les destine à ceux qui me firent souffrir, mais j'ai oublié qui ils étaient, et je ne sais pas où je les ai laissées. » « Luz de mi alma, répondait-elle, esquissant un pauvre sourire, il n'y avait plus là-bas, il n'y avait plus nulle part aucune lumière, aucune lueur. »

Au début, elle ne pouvait quitter son silence. La plupart du temps, à l'hôpital San Cecilio, où je devais régulièrement la conduire, elle restait de glace, le visage de biais, les mains crispées sur ses genoux serrés l'un contre l'autre. On la voyait soudain frissonner de dégoût et toute l'horreur du monde semblait défiler devant ses yeux tandis que les larmes ruisselaient sur son visage. Depuis cette horrible nuit du dimanche 5 janvier, la plaie s'était agrandie, étalée. Elle pesait de tout son poids en elle, chaque fois que lui revenait à la mémoire la fuite de tous ceux qui avaient ensuite évité les sentiers conduisant chez Mika. Elle était due en grande partie, sa blessure, à ces bonnes gens qui les avaient emmurées dans leur détresse. Combien étaient-ils qui n'avaient eu à leur offrir que de pauvres sourires distants ? Étaient-ils tous empoisonnés par la défiance et la suspicion ? Lorsque, après leur crime, les tortionnaires ont abandonné ta grand-mère sur la route de Delmas, elle a cherché refuge ici et là, pour se rendre compte rapidement qu'elle n'était pas la bienvenue, même chez des connaissances. Elle n'aurait jamais pensé que des gens oseraient éconduire une femme dans cet état en pleine nuit. Elle dut donc se traîner, seule sur cette route, mesurant ainsi l'étendue de la lâcheté, l'immense laideur des pleutres, jusqu'à ce qu'un homme, bravant le danger et la rage des bourreaux, s'arrête enfin. C'était un médecin. Il avait passé la nuit au chevet d'un patient et rentrait chez lui peu avant l'aube. Il venait de tourner le coin d'une rue, n'avait pas roulé trois cents mètres, lorsqu'il entendit une femme hurler. Elle suppliait, cognant aux portes obstinément closes, de faire venir une ambulance. Celle qui criait ainsi était une de ces marchandes qui quittent leurs demeures en pleine nuit afin d'arriver en ville au petit matin pour vendre des légumes. Elle avait hissé Mika hors du fossé où celle-ci avait basculé, épuisée, trop blessée pour continuer à avancer dans la nuit. Cette femme fluette aux mains décharnées était parvenue à la soulever pour lui faire boire un peu d'eau.

L'homme arrêta son véhicule au bord de la route déserte. Mika ne reprit conscience qu'au bout d'une quinzaine de jours, au cours desquels elle lutta entre la vie et la mort, dans une clinique appartenant à ce même médecin, qui s'en occupa avec un dévouement sans bornes, la soignant par la suite pendant plusieurs années.

La mémoire empoisonnée

Qué luna recogerá
tu dolor de cal y adelfa ?

J'ai donc vu le jour en Espagne, à Grenade, où s'était réfugiée Soledad lorsqu'elle avait quitté l'île au mois de mars de l'année 1958. Elle y vivait déjà depuis deux ans, étudiante à l'université, elle voulait devenir architecte. Passionnée par le flamenco, de sa voix rauque, elle interprétait à merveille la *Siguiriya* et la *Solea gitane*, ces chants solennels, à la fois sobres et majestueux, qui viennent du plus profond des entrailles et parviennent à moduler toutes les tragédies de la condition humaine.

Ses bourreaux lui avaient tout volé, disait Maria-Luz, ne lui laissant que les lunes tristes pour recueillir sa peine et cette voix pour pleurer, cette voix qui s'élevait de temps à autre dans un coin de la maison, en un appel désespéré lorsqu'elle entonnait *El paso de la Siguiriya.*

¿Adónde vas, siguiriya,
con un ritmo sin cabeza ?
¿Qué luna recogerá
tu dolor de cal y adelfa ?

Maria-Luz prétend que j'aurais dû venir au monde au mois d'octobre. Soledad, cependant, en avait décidé autrement. Jamais elle n'aurait permis une telle offense. Elle associait le mois d'octobre à la terreur duvaliériste, à cette débauche répressive mise en place par la racaille en guise de célébrations de la prise du pouvoir. Elle avait donc passé les mois de juillet et août à marcher tous les jours. Il lui était arrivé d'errer ainsi des journées entières, parcourant des distances infinies pour précipiter sa délivrance.

Maria-Luz n'avait jamais joué le rôle de sage-femme, mais Soledad ne voulant personne d'autre auprès d'elle, elle a dû apprendre.

— Le jour où tu quittas son ventre, sans attendre tu fis entendre ton premier cri, puis tu ouvris les yeux. Soledad, en te voyant, était restée muette, abasourdie.

— S'attendait-elle à me voir arriver avec des griffes et des crocs ?

Maria-Luz avait l'habitude de ces remarques contre lesquelles je paraissais n'avoir aucun pouvoir, qui exprimaient selon elle mon désir âpre de cet amour maternel jamais manifesté par Soledad. Comme à l'ordinaire, poursuivant son récit, elle n'y prêtait aucune attention.

— J'avais préparé des biberons de lait, continua-t-elle du même ton, retenu les services d'une jeune femme pour prendre soin de toi. Dans mes bras, tu gigotais doucement, cherchant à enfouir un petit poing ô combien énergique et décidé, un petit poing tout rose, dans la fleur de ta bouche. Les yeux fixés sur toi, Soledad tremblait. Je voyais son corps frêle parcouru de frissons. J'ai quitté la chambre pour mettre le lait à tiédir, au bout d'un instant, j'ai entendu un lourd mugissement. Sans tarder, je revins dans la chambre avec toi, toujours serrée contre moi. Soledad expulsait son mal, elle vomissait sa haine dans ces vagues de sanglots qui la remuaient, sans aucune trace de larmes sur son visage. Pour la première fois, je crois, je sentais le poids réel de tant de souffrances et de détresse. Chose étrange, blottie dans mes bras, toi, tu avais l'air si patiente. Dans son ventre, déjà, tu t'étais accoutumée à ce chagrin. Placide, tu attendais, ton poing dans la bouche. Tout à coup elle a sorti un sein. Sans un mot, je t'ai mise dans ses bras.

***

Sauvage et solitaire, mon enfance se déroula auprès d'une Soli absente, même dans sa façon de me regarder. Elle n'avait pour moi qu'un regard cru, qui me renvoyait de façon si brutale au vide et à l'errance. Dans mon désespoir muet, ma solitude était sans limite. Que pouvais-je lui demander ? Comment lui réclamer ce qu'elle ne pouvait offrir, quel espoir pour nous deux ? De toutes mes forces, j'appelais cet amour impossible, tournant seule dans mes nuits aveugles, je cherchais un ancrage, et Maria-Luz avait fort à faire pour tisser, avec ses pauvres mots, un voile pour abriter ma tristesse. Soli, sans cesse dissimulée derrière son silence, toujours un peu étonnée de me trouver sur son chemin ; Soli, qui me dispensait une attention muette, ponctuée d'immenses soupirs qui soulevaient sa poitrine, et Maria-Luz, qui espérait combler les vides. Par bonheur, il y avait Mika, ma grand-mère, cette femme dont l'abnégation et la douceur n'ont jamais cessé de me surprendre. Elle ne passait jamais un seul mois sans nous écrire, se faisait un devoir de venir tous les ans vivre quelques semaines avec nous. Sans elle, sans sa présence, et bien entendu, sans Maria-Luz, j'aurais été durant toute mon enfance, ainsi que le dit la chanson, comme *un oiseau qui crie seul sur sa branche.*

C'est que Soledad avait fait du silence une règle absolue, un refuge inviolable et, sitôt qu'elle le sentait menacé, une peur panique s'emparait d'elle, elle me rappelait à l'ordre de façon cinglante contre le verbiage. En ces moments-là, une douleur intense me traversait le corps, je sentais mon sang se figer.

Le jour de mes seize ans, Maria-Luz, tout à sa joie, lui avait demandé de me serrer dans ses bras, le temps d'une photo. Soledad, qui avait passé l'après-midi à cuisiner tout en fredonnant ses blues, avait froncé les sourcils. Sans un mot, elle avait ouvert la porte, franchi d'un bond le porche, et s'était mise à courir. Affolée, Maria-Luz l'avait poursuivie quelques minutes, essayant de la rattraper puis elle y avait renoncé. Soledad n'était revenue qu'au petit matin. Elle m'avait demandé de lui pardonner. Je n'avais jamais osé lui dire que cet effroyable silence m'était douloureux, et j'avais peine à croire que celle qui m'avait mise au monde avait été, avant ce temps de toutes les horreurs, une jeune fille gaie, heureuse de vivre.

L'avenir de Soli, répétait Maria-Luz, avait disparu, englouti dans cette nuit du dimanche 5 janvier 1958. Hélas, toute la haine que rejetait Soledad, moi, je l'absorbais. À petites doses, je la buvais, et un désir de vengeance aussi immense que mon désir d'amour croissait au fur et à mesure que passaient les années.

***

L'année de mes dix-sept ans, encore orpheline du monde et de ma naissance, je marchais sur des braises. La rage au ventre, j'allais partout sans but, cherchant mon âme. Le silence cognait sans répit et j'en arrivais à oublier le son de la voix de Soli alors que nous vivions ensemble.

Maria-Luz, seule, veillait. Son ombre jamais ne me quittait.

Maria-Luz m'enseigna la joie, elle m'apprit à aimer le vent, la pluie, l'odeur de la terre, à nommer les étoiles, à causer aux oiseaux. Avec cet amour sans pareil pour son Espagne, celle qui a reçu mon premier sourire a su remplacer dans mes veines le sang ennemi. « Je t'ai baptisée fille de cette terre qu'aucune haine, si forte soit-elle, ne parviendra à dépouiller de ses merveilles. Les rouges et les ocres de l'Al Andalus t'habiteront, avec mon amour et celui de Soli. Parce qu'elle t'aime aussi, notre Soli », disait-elle, en appuyant son front contre le mien. J'esquissais une moue, elle enchaînait : « À sa manière, bien sûr, elle t'aime. Et tu le sais. Pour aimer notre Espagne, reprenait-elle, comme pour détourner le cours de mes pensées, pour aimer toute terre, il faut en connaître l'histoire. »

Je dus donc non seulement lire attentivement les ouvrages qu'elle me procurait, mais parcourir avec elle, aux vacances, tout le pays. J'arpentai la cité andalouse jusqu'au pied de la Sierra. J'appris à nommer les pierres semées par Phéniciens, Carthaginois et Romains. J'appris à déchiffrer l'Espagne. Pourtant, tous les jardins de l'Andalousie, tout l'amour de Maria-Luz n'arrivaient à alléger ce poids qui pesait si fort sur mes épaules, empoisonnait mon sang et avait fait de ma vie un chemin peuplé de chimères. Ce que je cherchais n'existait pas en Espagne. C'était une chose que ni Soledad ni Maria Luz ne pouvaient m'offrir.

Ce qui lui reste de vie

L'année de mes dix-huit ans, Mika nous rendit encore visite, comme tous les ans, puisque Soledad n'a jamais remis les pieds dans l'île de sa naissance. Cette année-là, pour mon plus grand bonheur, Mika décida de prolonger son séjour. Le printemps était hâtif, un printemps pluvieux et gris, mais dans mon cœur pénétraient une lumière et une douceur inconnues, celles qui me viennent des heures tendres et précieuses – non exemptes de larmes, il est vrai – passées en sa compagnie. À chacun de ses séjours, ma grand-mère essayait de me tendre un fil, je la sentais cherchant désespérément un angle, une approche, alors que l'histoire sans cesse se dérobait. Comme au jour de ma naissance j'attendais le sein de Soledad, patiente, j'attendais que ma grand-mère quitte pour moi l'univers du silence, qu'elle avait rejoint depuis si longtemps, non pas celui imposé par ses bourreaux, mais bien celui atteint de son propre gré, ainsi que le dit le poète, avec ses « deux ailes, un violon, et tant de choses non dénombrées, qui n'ont pas été nommées ».

Cette journée-là, nous étions à Guadix. Voulant profiter de tout ce qui vibrait encore dans le jour qui s'en allait : remue-ménage et cris des oiseaux, dernières lueurs d'un soleil qui s'étirait dans la vallée, rires et airs béats d'amoureux en promenade, Maria-Luz voulait s'attarder à flâner dans les ruelles étroites. Nous revenions, Mika et moi, dans cette grotte qu'était notre chambre d'hôtel. Harassée de fatigue, Mika s'était jetée sur son lit ; malgré tout, je la sentais fébrile, elle ne tenait pas en place, au bout d'un instant, elle s'était relevée pour se rendre dans le jardin, où je l'avais rejointe. J'avais remarqué que la proximité, l'intimité qui s'établissait entre nous lors de nos escapades produisait un effet étrange, on aurait dit une sorte d'attente mutuelle, une douloureuse fièvre. Tout semblait être un prélude à des aveux ou plutôt à une révélation qui malgré nous tardait. J'implorais à chaque fois un dieu sourd à mes prières pour que Mika, enfin, parvienne à me rejoindre, qu'elle me parle elle-même des événements de janvier 1958.

Maria-Luz tardait à rentrer. « Elle a dû s'oublier dans un troquet, pensait tout haut Mika, à boire un interminable vin en interrogeant son verre. » Espérait-elle, malgré elle, que l'arrivée de Maria-Luz la libère de son fardeau ? Pas à pas, je la suivais et nous nous sommes retrouvées toutes deux, émues, contemplant le coucher de soleil avec la ville en arrière-plan. Dans l'étonnante douceur de ce jour qui disparaissait, soudain, sa voix se fit entendre :

— Il n'existe personne au monde qui puisse te parler comme je m'apprête à le faire, Junon. Et tu ne sauras jamais combien il me coûte d'aborder ce chapitre. J'ai l'impression... – elle fit une courte pause, soupira avant de se remettre à parler – j'ai l'impression que ce qui me reste de vie va s'enfuir dans mes paroles. Crois-moi, rien de ce que j'ai vécu depuis cette nuit funeste ne m'a paru aussi pénible, mais – enchaîna-t-elle en redressant le torse, comme si une vague de courage la bousculait – il te faut des éléments que moi seule possède. C'est donc à moi de te les fournir, quitte à te faire plonger avec moi dans un cataclysme, mon enfant, tu dois en être consciente.

Il répugnait encore à Mika d'aborder cette rive dont elle voulait sans cesse s'éloigner, mais je la sentais en cet instant animée de quelque chose de beaucoup plus fort que sa volonté ; elle accédait enfin à mes désirs, fouillait dans sa mémoire endolorie, exhumait tout ce qui était encore à sa portée. J'essayais de remonter la source de l'étonnante sérénité de cette femme de plus de soixante-dix ans, qui avait en horreur cette pratique qu'ont certaines gens de s'agripper au cœur d'autrui pour y décharger leurs doléances et leurs chagrins.

— Ceux qui sont affamés d'attention souffrent trop. Ma sérénité me vient donc du silence. Les lamentations du prochain sur notre sort ne sont pas toujours preuve d'humanité, le sais-tu ?

Elle me regardait intensément, semblait suivre le cours de mes pensées, et une autre idée surgit.

— Il est toujours hasardeux, déclara-t-elle, une inflexion soucieuse dans la voix, de s'ériger en juge. Le mot « justice » lui-même, dont on prétend qu'il possède deux faces, ne nous parvient, tout comme le mot « liberté », que du fond d'une cacophonie, d'un embrouillamini d'idées que l'on voudrait savantes, et dans lequel on patauge comme des aveugles.

Tout en parlant, ma grand-mère se frottait les mains, comme si elle espérait en faire tomber des débris, une poussière qui s'obstinait à y demeurer. Je pensais, en la regardant, qu'il y avait une incommensurable souffrance dans ses paroles et dans ce geste, mais elle parvenait quand même à l'endormir pour tenter de me rejoindre, et cet effort représentait une souffrance plus grande. Comme je lui jetais un regard désemparé, elle ajouta :

— Avant toute chose, je voudrais que tu comprennes ce choix du silence. Je n'ai jamais prétendu détenir la vérité. Mais en m'opposant aux imposteurs et à leurs supercheries, je cherchais ma propre vérité. Ils ont choisi, cette nuit-là, de la détruire, imprimant leurs crocs dans ma chair et dans celle de Soledad. Ça, c'est leur vérité. Ces actes infâmes leur appartiennent.

— Ils devront y faire face, grand-mère. Un jour ou l'autre, j'en suis convaincue, ils seront confrontés à ces vérités qui leur appartiennent. Autrement, poursuivais-je alors que ma voix se brisait, nous cautionnons le règne de l'impunité et cela est insupportable.

L'arrivée de Maria-Luz mit fin ce soir-là à notre conversation. Mais j'ai insisté par la suite pour que Mika me raconte comment elle s'était sentie en cette nuit de toutes les infamies, lorsque ses bourreaux l'ont abandonnée, à moitié morte, sur cette route déserte.

Raccommoder la mémoire

Duvalier avait pris soin d'assister aux tortures que ses hommes m'infligeaient. Sa présence était le fait de son intérêt malveillant, de son goût pour l'obscène. Il était donc demeuré sur place toute la nuit. Le visage impassible, sans broncher, il avait assisté à toutes les agressions commises contre moi. En sa présence, ses hommes de main déployaient beaucoup de zèle pour s'attirer ses bonnes grâces. Combien d'heures ont-ils passé à me battre, à me gifler? Ils se relayaient, par équipes de deux, pour être plus efficaces. Les yeux mi-clos, il approuvait. Il arrivait qu'il exécutât lui-même certains prisonniers; quelques jours auparavant, il avait abattu dans un des cachots du palais deux jeunes hommes dans la vingtaine.

Parmi mes tortionnaires, se trouvaient deux femmes, la Rosalie Bosquet, connue sous le nom de Madame Max-Adolphe, et une de ses lieutenantes, une certaine Lysiane, qui devint ministre par la suite.

Il espérait, jusqu'à la dernière minute, que je me jette à ses genoux, que je lui demande grâce. Furieux, il n'avait ouvert la bouche qu'à deux reprises, la première fois pour leur dire: « Cassez-lui les doigts! Ça lui apprendra à troquer l'aiguille et le balai pour la plume! » Son ton nasillard s'était accentué tant la haine emplissait sa voix. Il rageait de voir que Mika Pelrin avait serré les dents, accroché son regard à celui des bourreaux et les avait laissés poursuivre leur ignoble tâche. Le premier à s'en être pris à mes mains était un dénommé Luc Désir. Dans mes nuits d'insomnie, j'entends encore le craquement affolant de mes os, les os de mes doigts, de mes mains, livrés à ces sanguinaires.

La deuxième fois qu'il ouvrit la bouche, c'était pour ordonner aux bourreaux de me laisser vivante. « Il faut qu'elle reste en vie, leur dit-il. Elle doit demeurer un exemple vivant. Ainsi, ils sauront tous qui se nomme François Duvalier ! » Tels étaient ses mots. Lentement, il s'était levé, s'était dirigé vers la sortie. Puis, avant de quitter les lieux, comme s'adressant à des chiens auxquels on lance un os : « Je m'en vais à présent. Que ceux qui ont faim de cette carcasse se mettent à table ! » Tout cela se passait, ma fille, dans les sous-sols du Palais national.

Duvalier parti, combien d'entre eux abusèrent de moi, je ne sais plus. Ils devaient bien être au nombre de sept, peut-être plus. Moi, je ne faisais que penser à Soledad. Dans l'épaisseur de cette nuit d'horreur, je comprenais que je débutais un terrible apprentissage, j'abandonnais, ainsi qu'une vieille peau, mon rôle de mère, pour devenir une sœur compatissante, la sœur de mon enfant adorée, celle dont je ne savais point si elle était encore vivante, qui se trouvait livrée à la haine, aux mains de ces salauds. Nous étions devenues, Soledad et moi, désormais, compagnes de voyage et sœurs par ce même corps meurtri. Toutes mes pensées, au moment où je me traînais sur cette route où j'aurais pu mourir, étaient tournées vers elle. Je m'agrippais de toutes mes forces à l'espoir de la revoir vivante.

***

Mika s'interrompit quelques instants. Cherchait-elle, une fois de plus, à savoir si elle pouvait poursuivre, me confier ce qui allait suivre ? Ce moment était d'une intensité prodigieuse, alors que ses yeux fixement me regardaient, j'avais l'impression qu'elle ne me voyait plus. C'était la nuit. Toutes deux insomniaques, nous nous retrouvions régulièrement autour d'une tasse de thé, au milieu de conversations qui se prolongeaient souvent jusqu'au petit matin. Le choc soudain des branches du chêne-vert contre la fenêtre la ramena dans la cuisine, je compris qu'elle revenait de très loin lorsqu'elle reprit son récit. Elle secoua la tête, tel un chien qui s'ébroue, puis, comme se parlant à elle-même, je l'entendis demander : « Comment était-ce possible ? Comment expliquer que les voisins, si proches, n'aient rien entendu ? » Elle soupira encore en pensant au nombre de fois où elle s'était tourmentée avec cette même question inutile : comment est-il possible que personne ne soit intervenu ?

Une fois qu'ils m'eurent abandonnée sur la route, j'étais sûre de ne pas en réchapper. Il ne passait que quelques rares voitures et il ne me vint même pas à l'idée d'essayer d'en arrêter une. Je ne savais plus penser, ne parvenais plus à me mettre debout et n'avais plus la force de crier. Toutes ces années se sont écoulées et, c'est quand même étrange, tant de petits détails qui semblaient sans importance, qui paraissaient avoir été noyés dans cet océan d'horreurs, reviennent parfois avec une sorte d'insistance. Je me vois contrainte de m'y arrêter, essayant de me dire : et si... et si cela ne s'était pas produit de cette manière, et si cette femme avait choisi de ne pas venir à mon secours ? Si une voiture avait roulé sur elle au moment où, faisant fi de toute prudence, elle se jetait au milieu de la chaussée pour attirer l'attention d'un chauffeur compatissant ?

Me soulevant, la femme butait sur les cailloux, trébuchait ; je baignais dans mon sang, mais avec le peu de force dont je disposais, j'essayais de lui faciliter la tâche. Une fois qu'elle m'eut installée sur le talus, je compris tout ce que je venais d'abandonner dans ce fossé : j'y laissais une partie de mon passé, un certain aspect de ma résistance, tant de mes désirs, de mes rêves. Tu comprends, Junon ? Je me sentais, reprit Mika, c'était si étrange comme sensation, dans une très grande absence, l'absence d'un monde, de tant de choses futiles, frivoles, pour ne pas dire l'absence de tout ce qui m'entourait. La douleur, seule, était présente. Sa présence obscurcissait tout, et elle était liée à un autre visage, à des traits plus odieux encore, est-ce possible ? que celui des carnassiers. Comment t'expliquer, mon enfant ? J'avais dépassé la peur, puisque j'avais rencontré le Mal dans toutes ses dimensions, le Mal incarné par le pouvoir diabolique de Duvalier, ce serviteur de Lucifer. J'avais visité l'enfer.

***

Des larmes abondantes baignaient mon visage, je sanglotais, inconsolable. Mika se leva, me prit dans ses bras. À travers mes sanglots, elle perçut le mot « victime » et tout à coup, elle se détacha de moi. Elle inspira profondément puis, d'une voix ferme, me dit :

— J'ai certes été victime d'un crime abominable et les auteurs de ce crime n'ont jamais été inquiétés. Mais j'ai toujours refusé d'adopter un discours ou une posture de victime, qui charrient souvent des relents de perversité. Même lorsque j'éprouve aujourd'hui encore une atroce souffrance, surtout pour avoir entendu tant et tant de choses inacceptables de la bouche de gens que je n'aurais jamais cru capables de tels blasphèmes, je ne condamne personne. Mais je ne démens pas non plus que l'amertume, souvent, me remonte à la gorge. Dans certains milieux, figure-toi, on trouvait que je gardais la tête trop haute. Ainsi, devaient-ils se dire, j'avais moi-même tissé la corde pour me pendre. J'avais organisé mon propre naufrage !

Ma grand-mère avait haussé la voix. S'en rendant compte, elle s'était recroquevillée à nouveau sur la chaise, comme si elle n'avait plus depuis longtemps souvenir de cette voix en elle, comme si c'était en elle la voix d'une autre.

— Je me dis quelquefois que ma vie a fait naufrage, reprit-elle très lentement, dans un bruissement de mots. Je dis cela parce que je n'ai pas pu accomplir ce que j'espérais accomplir. Il m'arrive aussi de me demander si cette civilisation n'est pas elle-même en train de sombrer au fond d'un océan de violence.

— Que regrettes-tu ?

— Des regrets, ô combien j'en ai, répondit-elle, tristement. Je regrette tant de ne pas avoir su mieux protéger mes enfants. D'avoir été incapable de compter sur mes propres moyens et de m'être trop conformée à ce que la société attend d'une femme. Incapable aussi, par exemple, de prendre une décision éclairée par rapport à Charlot. M'étais-je inconsciemment confortée dans une sorte de médiocrité ? Je me reproche encore de ne pas avoir su mettre le doigt beaucoup plus tôt sur ce qu'il fallait fuir : la folie de réussite de Charlot, cette bête à sept cornes qui le dévorait de l'intérieur, et moi par ricochet. Car j'ai tenté d'ignorer sa rage de tout posséder, ce qu'il appelait pompeusement réussite, ce pour quoi il avait fini par faire comme tant d'autres : fermer les yeux sur les abominations. « Quand on accepte un homme dans sa vie, on renie tout et on divorce du monde car il devient le monde. C'est ni plus ni moins ce qu'il réclame. » Ce sont là les paroles de ta grand-tante Clarisse.

— Parle-moi encore de tante Clarisse, grand-mère, ce trop-plein de vie en elle, cette énergie qui déborde me fascinent.

Les yeux de ma grand-mère se mirent à briller. Elle me regardait pourtant comme si elle hésitait. La fatigue s'installait, et le jour commencerait bientôt à poindre. On entendrait sous peu s'élever dans l'atelier la voix de Soledad, pleurant une chanson. Mais Mika aimait tant parler de Clarisse qu'elle en oublia sa fatigue.

— Clarisse, reprit-elle, étant mon aînée de deux ans, toute mon enfance, elle s'est sentie tenue de me protéger. Aujourd'hui encore, cela n'a pas changé. La mort de maman avait renforcé ce devoir de protection chez elle. Quand j'étais enfant, personne n'osait s'en prendre à moi. Sitôt qu'éclatait une altercation à laquelle je me trouvais mêlée, elle accourait ainsi qu'un Zorro. Elle était celle qui tenait tête à papa lorsque j'étais en cause. Elle déclarait à qui voulait l'entendre que, pour sa sœur, elle était prête à aller en enfer.

— Vous étiez donc si proches ?

— Inséparables, en dépit de nos différends, et même lorsqu'elle me faisait perdre patience. Nous sommes encore très solidaires. Elle ne s'est jamais remise de ces événements qui ont failli me coûter la vie.

— L'atmosphère à la maison devait être survoltée en sa présence ?

— C'est peu dire. Chacune de ses apparitions se terminait par de très longues discussions. Figure-toi qu'un jour, elle déclara sans nuances que nos mâles ont été baisés par des curés qui les ont rendus fous!

— Elle n'y allait pas avec le dos de la cuillère.

— J'eus le malheur de lui demander ce qui prouvait que ces curés bretons, français, canadiens et autres, aux commandes de nos vénérables institutions d'enseignement, abusaient sexuellement des garçons qui leur étaient confiés. Elle m'avait cloué le bec, disant que des scandales de ce genre étaient chose courante aux quatre coins du monde. Partout, fulminait-elle, on dissimule les abus des prêtres, et te voilà, toi la journaliste, assez naïve pour croire qu'ici, dans ce pays misérable où ils font la loi, ils épargnent nos gamins! On n'en parle pas, sais-tu pourquoi? Parce que cette loi infâme du silence nous est enseignée dès notre plus jeune âge. Ceux qui endurent ces traumatismes n'en souffleront jamais mot! Tu le sais pertinemment. Et parmi eux s'en trouveront qui, après avoir vécu ces abus, ne manqueront pas d'ostraciser ceux qui auraient la folie d'ouvrir la bouche pour dénoncer. Et comment oublier, renchérissait-elle, que ces abus se produisent dans un double contexte de soumission, quand on sait qu'un très grand nombre de ces jeunes se retrouvent dans ces séminaires, ces bordels du Bon Dieu, justement parce que leurs parents ne peuvent assumer les frais requis pour leurs études.

— Mais pouvais-tu contester alors son point de vue?

— Ses analyses n'étaient pas fausses, cependant, ses façons tranchantes faisaient d'elle un taureau. Elle chargeait aveuglément, telle une bête dans l'arène. Quand je la mettais en garde contre les généralisations, elle s'emportait et finissait par m'épuiser puisqu'elle devait toujours avoir le dernier mot. Mais Clarisse avait bon cœur. Elle pouvait s'oublier pour les autres, mais elle était tout en excès. « Clarisse, sans mesure dans l'amour, comme dans la haine », disait Bé. Elle a toujours soulevé autour d'elle autant de détestation que d'appréciation.

Mika regarda l'heure, soupira :

— Que de souvenirs pour une si petite vie, ma Junon. Pourquoi n'avons-nous pas droit au crayon qui permet d'effacer les souvenirs, mon enfant ? Sais-tu le plaisir que j'aurais à gommer sans hésiter des dizaines d'années de mon existence ?

Elle avait l'air à la fois sérieuse et comme amusée de sa trouvaille.

— Tu choisis, j'en suis sûre, d'ignorer certains souvenirs, répondis-je, ceux que tu relègues si loin qu'ils paraissent n'avoir jamais existé.

— Mais tu te trompes joliment, ma Junon. S'il existe des faits dont je ne parle pas, c'est simplement que je ne sais où trouver les mots. Qu'y a-t-il de plus triste que le silence ? je me répète sans cesse. Mais ne nous faut-il pas également résister à la fascination des confessions forcées ou impudiques, ces impulsions qui nous poussent à parler, à nous écouter parler, au risque de banaliser les choses les plus importantes ? Me comprends-tu ?

Je savais que Mika faisait référence à cette thérapie que nous avions entrepris, Soledad et moi. Je m'y astreignais alors depuis bientôt quatre ans, sans le soulagement escompté, poursuivant quand même, avec l'espoir de pouvoir un jour endiguer cette colère qui, telle une houle déchaînée, me soulevait, m'agitait, m'enlevant tout repos.

Les réactions de Mika, souvent, me déroutaient ; j'en avais discuté avec Gilberto, mon thérapeute. À son avis, Mika se trouvait encore dans une phase de déni, un déni qui lui servait de bouclier pour se protéger de la pitié. « Il lui permet, m'avait-il expliqué, de sauvegarder sa dignité et son être intime ». Pensant aux paroles de Gilberto, je demandai :

— Comment décidons-nous de ce qui est important et de ce qui ne l'est pas, grand-mère Mika ? Il y a des années que je te supplie, à chacun de tes séjours de me parler véritablement de Charlot. Il ne peut être uniquement ce bouffon, cet homme à la fois autoritaire et sans courage que tu peins ? Tu n'aurais jamais épousé un tel homme, je le sais !

Elle sentit le reproche dans ma voix, inspira longuement puis elle me dit :

— Lorsque j'y repense, je me dis que nos excès peuvent être la cause de bien des errements. J'étais à vingt ans si révoltée, si dégoûtée par la société dont j'étais issue que j'avais choisi un homme que je pensais à l'opposé de tous ces gens qui, autour de moi, bombaient le torse, fiers de ce qu'ils appellent leurs origines. Mais j'avais épousé un homme qui n'en était pas un, voilà la vérité.

— Mais c'est un cliché, grand-mère !

— Tout cela, tu le vois bien, est un peu confus en moi, je l'avoue, même lorsque j'ai beaucoup réfléchi à la question. Une chose est certaine, j'accepte mes contradictions, Junon. Mais il reste que Charles-Émile a été pour moi une très grande déception. Auparavant, je me disais qu'il s'agissait d'une tromperie. Cet homme m'a tout bonnement trompée ! je me lamentais. Avec le temps, je me demande parfois si je n'ai pas été injuste avec lui, réclamant de lui un effort auquel moi-même je ne pouvais m'astreindre : devenir véritablement humain, totalement, dans l'absolu. C'est dans les petites choses qu'on s'en rend compte. Que tout cela est compliqué, ma Junon, dit Mika en s'étirant. Bientôt six heures du matin, s'affola-t-elle tout à coup en regardant l'heure, je n'ai jamais été aussi fatiguée. Il est temps de se reposer.

Ses yeux semblaient sur le point de se fermer et ses joues étaient si chaudes lorsque je l'embrassai. Elle se leva, s'empara d'un livre qu'elle avait posé sur la table : *Les Confessions de saint Augustin.* À petits pas, elle gravit l'escalier.

***

Mika avait prolongé son séjour chez nous, comme si elle hésitait à nous quitter, Soledad et moi. Un été flamboyant illuminait tous les jours l'Andalousie, et nous allions comme fourmis folles, Maria-Luz, Mika et moi, de Séville, à Ronda et Zahara de la Sierra, dans Cadix, prendre part à ces processions, ces fiestas de Corpus Christi où nous avions l'impression que les villages entiers descendaient dans les rues. Nous ne voulions pour rien au monde manquer les feux de joie des nuits de la Saint-Jean. Un soir, sur une plage – étions-nous alors à Alpujarras ? je ne sais plus –, je me souviens avec chaque fois beaucoup d'émotion que, dans un accès de joie tout enfantine, Mika frétillait en contemplant les flammes, les étincelles semblaient jaillir non pas du feu mais de son cœur, puis soudain, elle se mit à battre des mains en déclarant qu'il faudrait allumer des feux partout sur la planète en même temps le même jour pour purifier le monde.

À la fin d'octobre, elle était repartie. Inutile de conter tout ce qu'elle avait emporté avec elle. Le vide que laissait en moi son départ était impossible à combler. Soledad était inconsolable alors qu'elle l'avait si peu vue, passant le plus clair de son temps seule dans son atelier. Mais cet été-là un miracle s'était produit. Soledad avait décidé de se remettre à la peinture, de s'y consacrer, comme sa tante Clarisse. C'était inespéré. Maria-Luz exultait, elle allait partout chantant *España Camisa Blanca,* l'espérance, enfin, pour une âme tourmentée.

Au cours des premiers jours de l'été déjà, nous sentions que Soledad renaissait. Sa peinture apportait de l'espoir à la nuit. Elle avait commencé à vendre ses tableaux sur les places. Elle se levait avec le soleil, travaillait parfois jusqu'à la nuit tombée.

La peinture de Soledad, disait Mika, les mélanges de couleurs, surtout, lui rappelaient les tableaux de Clarisse. Soledad travaillait au son des voix de Bessie Smith, Diana Washington et d'autres dont je ne sais plus le nom. Ces mélodies jazzées, souvent lentes et langoureuses, l'émouvaient. Elles pénétraient en elle, parce qu'elles reprenaient ce mouvement premier qui faisait écho à sa peinture. Elle avait, si on peut dire, signé un pacte avec Billie Holiday, cette voix qui, dans le silence de l'atelier, s'élevait pour elle seule. Jamais une journée ne passait sans qu'on l'entende soudain se mettre à chanter, comme s'il s'agissait d'une prière, *Trouble in mind.* Des jours entiers à fredonner ce même air. Plus qu'un chant, même lorsqu'elle évoquait l'espérance, la voix de Soledad lançait un appel auquel personne ne parvenait à répondre.

Well it's trouble, oh trouble
Trouble on my worried mind,
When you see me laughin'
I'm laughin' just to keep from cryin'

Le temps de la parole amère

— L'histoire se répète. Toutes les histoires peuvent se répéter, débuta Maria-Luz. La même histoire peut se dérouler à des époques différentes, en des lieux différents, sous d'autres cieux, avec d'autres protagonistes, emprunter d'autres visages.

— Mais n'avons-nous pas la possibilité d'inventer d'autres histoires, de meilleures, de plus belles ? je lui dis candidement.

— Je serais la dernière à dire le contraire, Junon. La vie nous offre l'occasion de belles histoires, que de fois pourtant nous les ignorons.

Tandis qu'elle me parlait, ses yeux pétillaient d'émotion.

— Je te dis vrai, Junon, nous ne savons pas toujours saisir ces occasions, nous en inspirer. Il arrive aussi qu'une histoire nous éclaire, nous permette d'en comprendre une autre. Comment oublier que je fus celle qui reçut ton premier regard ? Je t'ai donné en retour ton premier baiser sur ton petit poing fermé, ta première caresse sur ta joue. N'est-ce pas une histoire merveilleuse que la nôtre ?

— Je ne dirai jamais le contraire. Tu m'as aussi enseigné à aimer d'un amour profond ce pays que tu nommes ton Espagne.

— C'est au nom de cet amour, Junon, que je veux te conter une autre histoire, ancrée profondément dans cette terre et dans ma chair. Elle nous est donc commune, puisque, toutes les deux, nous sommes nées sur la même terre.

Elle s'arrêta, cherchant, quelque part, au plus profond d'elle-même, des mots qui semblaient ne pas exister.

— Tu veux parler de la guerre civile et du franquisme, je le sais, lui dis-je trop rapidement.

Elle me reprit aussitôt :

— Plutôt de ce que l'on pourrait appeler l'histoire du dedans, sous Franco. Cette histoire qui se déroulait à l'intérieur des êtres, je pense aux histoires individuelles, aux drames personnels de ceux qui furent plongés dans la nuit du franquisme. Tant de choses que nous ignorons, tant de mensonges, tant de crimes impunis. Le travail sur la mémoire, dit Maria-Luz, ne fait que commencer, j'espère de toute mon âme qu'il se poursuive, qu'il s'étende, que l'on souligne, entre autres, le rôle de l'Église au cours de cette période. Sais-tu que les femmes que l'on s'apprêtait à assassiner, on les faisait défiler tête rasée dans la ville, puis on les obligeait à assister à la messe ? Et que dire de ces milliers d'enfants volés à la naissance par les franquistes puis donnés à des familles qui leur étaient proches ? Il suffisait à ces criminels de déclarer à la mère que son enfant était mort-né. Tant de silences, mais aussi tant de complicités, car pour perpétrer ces crimes, il fallait l'appui du personnel hospitalier.

— Dire que l'oubli s'installe avec une telle facilité qu'il parvient à coloniser la conscience. Serait-ce plus facile d'oublier que de se souvenir, Maria-Luz ?

L'émotion qu'éprouvait Maria-Luz nous contraignit au silence une bonne partie du chemin. Arrivées entre les villages de Viznar et d'Alfacar, près d'une ferme appelée Cortijo de Gazpacho, Maria-Luz arrêta la voiture. La laissant sur la route, nous descendîmes une petite butte, pour remonter par un sentier bordé d'oliviers, dont les feuilles grisâtres bruissaient doucement. Debout, le regard immobile, Maria-Luz était songeuse. Tout à coup elle me dit :

— Ce serait ici qu'ils ont assassiné le poète, sans procès d'aucune sorte. Il repose, dit-on, au pied d'un olivier. Autant dire qu'il repose partout dans ces collines, car chacun y va de ses suppositions. D'autres prétendent qu'il aurait été tué au bord du chemin qui mène de Viznar à Alfacar. Puisque ceux qui savent vraiment ne diront jamais rien, les circonstances exactes de sa mort demeureront toujours mystérieuses. L'histoire tragique de cet homme m'habite telle une écharde, quand je pense à lui, j'entends malgré moi le bruit des bottes et des fusils, le martèlement des pas des soldats, je vois son visage pâle dans la nuit bleue, ses boucles brunes, je le vois aller vers la mort. Je vois aussi les collines de Viznar et les milliers de morts qu'elles ont accueillis, la répression a été plus que sanglante, ces collines, tu dois le savoir, Junon, ont été le lieu d'innombrables exécutions sommaires.

Maria-Luz me tenait par le bras, je sentais des frémissements parcourir tout son corps. Elle parlait du poète comme on parle d'un être aimé. Alors que je m'apprêtais à lui demander si elle l'avait connu, elle reprit :

— L'historien Miguel Caballero a mené une enquête de plusieurs années pour débusquer les auteurs du crime. Pense un peu à toutes les difficultés que doit surmonter un historien pour parvenir à mener à bien son travail, pense à la lâcheté des uns, au silence des autres ou à leur indifférence.

— Il m'arrive de réfléchir à tout cela et je me dis que ce silence, cette indifférence sont également une forme de violence. Je me sens sans recours devant la violence qui imprègne trop souvent les rapports entre les êtres humains. Elle m'effraie et je me répète sans cesse que je suis née d'un de ces actes de violence. Et je dois t'avouer, Luz de mi alma, que je me sens moi-même, parfois, pleine de violence. Un bouillonnement sans répit, je ne suis qu'avalanches, coulées de laves si brûlantes que j'ai peur de moi-même.

— Il y a de la violence dans l'humain, ma Junon, c'est indéniable. Elle imprègne les rapports sociaux, le politique, les rapports qu'entretiennent les institutions et les pouvoirs, quels qu'ils soient, avec les citoyens. Mais c'est à l'intérieur de lui-même que l'être humain doit en chercher la source et l'extirper. Autrement... eh bien, autrement, la bête en nous montre les crocs et fait la loi. J'ai goûté pour ma part à cette violence alors que je n'étais qu'une toute petite fille, et je garderai en moi jusqu'à la fin des temps le souvenir exécrable de cette époque maudite. Le temps de cette parole amère s'est ouvert pour moi, Junon, un matin de l'été 1937, j'avais neuf ans. J'ai dû annoncer à mon père déjà vieux, car beaucoup plus âgé que ma mère, que sa femme et sa fille, ma sœur Ana Catrina, âgée de dix-neuf ans, avaient été fusillées par les chacals de Franco. Mon père avait été dénoncé pour accointances républicaines. Suivant la logique du pouvoir en place, on arrêta sa femme et sa fille à l'usine où elles travaillaient et, avec elles, plusieurs autres membres de la famille. Deux jours déjà qu'elles n'étaient pas rentrées. Le second soir, j'avais préparé le repas, des pommes de terre avec un bout de jambon et des flageolets. Tout comme la veille, père n'avait rien mangé. Une chape de silence et d'appréhension recouvrait le village. Personne n'osait venir chez nous lui annoncer la nouvelle. Les heures passaient, mon père gardait les yeux fermés pour ne pas croiser mon regard dans lequel devait se lire tant d'inquiétude. Ce deuxième jour, alors que le crépuscule commençait à engloutir la vallée, le tumulte en nous grandissait.

Soudain, dans le soir qui s'étalait, j'ai entendu siffler. Malgré ma peur, je suis sortie de la maison. Tapi derrière un vieux chêne, il y avait Felipe, un garçon de douze ans. Les yeux rivés au sol, Felipe pleurait. Sans me regarder, il n'en avait pas la force, il a tout déballé.

Au moment de m'adresser à mon père, j'ai souhaité mourir. Longtemps je me suis répété que j'ai joué le rôle du bourreau, que j'ai donné le coup de grâce à un vieil homme crevant d'indignation, vaincu par le sadisme franquiste qui lui enlevait deux êtres chers, le laissant avec une gamine de neuf ans qui ne savait plus comment être une enfant. Voilà, ma Junon, du jour au lendemain, j'étais devenue la mère de mon père, cet homme abattu qui gémissait le jour comme la nuit.

J'apprenais brutalement à faire face à la mort, celle qui me ravissait ma mère et ma sœur. J'apprenais à connaître la haine, l'arbitraire, l'injustice et l'oppression, tous ces maux qui clouaient mon père dans un lit qu'il ne quitta plus jusqu'à son départ de ce monde. Je savais que cet homme si digne aurait tant voulu m'épargner son mal. C'était une souffrance qu'il associait à une dégradation, il avait en quelque sorte honte de m'exposer à ce qu'il vivait comme une déchéance. Après la disparition de ma mère et d'Ana Catrina, mon père s'emmura dans son chagrin jusqu'à ce que ses lèvres soient définitivement scellées sur sa douleur. Même après toutes ces années, je ne sais toujours pas dire cette immense peine qui nous a terrassés ce soir-là. Jusqu'à ma rencontre avec Soledad, je vivais moi aussi dans le silence, à cause de ces voix en moi : celle de ma mère, de ma sœur, et de tant d'autres disparues, voix aimées, voix mêlées aux gémissements d'un homme criblé de douleur, mon père, Jose Rosales Benalva. Au fil de mes rencontres avec Soli, j'ai ouvert ces pages de ma vie, effeuillé ce terrible secret, retrouvé les mots égarés puis, à mesure que nous parlions, Soledad et moi, que je lui livrais cette histoire qui vivait en moi, que les mots se déployaient pour rejoindre les siens, ma douleur empruntait une forme un peu plus humaine. J'avais l'impression qu'en me confiant à Soledad, je me trouvais de nouveau rattachée à une humanité. En Soledad, je me reconnaissais.

***

J'ai ainsi grandi dans les jupes de deux femmes. Le silence dans leurs entrailles, certains jours, hurlait plus fort que les rafales du leveche. J'ai bu mes premières gorgées de lait agrippée au sein de la première, celle que je nomme ma mère de sang, qui sanglotait par vagues, sans verser une seule larme. La seconde, ma mère de joie, m'a tendu les bouts de fil d'une histoire, qu'elles cousaient toutes deux au long des soirées où elles guettaient les ombres et les fantômes. J'ai compris dès mon plus jeune âge qu'une nuée d'oiseaux noirs battait furieusement des ailes dans leur âme et dans leur mémoire, puis vint le temps où je sus qu'il me fallait vaincre la nuit pour pouvoir naître, enfin.

Ma quête, tout au long de mon adolescence, revêtait des aspects étranges. Je rêvais souvent de Mika. Dans ces rêves, elle se tenait au haut d'une montagne et me tendait les bras. J'examinais la route, sinueuse, hérissée de gros rochers noirs, et moi, tout en bas, le cœur battant, me demandant comment y parvenir.

J'ai décidé, l'année de mes vingt-deux ans, de me séparer de Soledad. Je pouvais sans crainte m'éloigner d'elle, puisque notre histoire commune ne prendrait jamais fin. N'étions-nous pas, elle et moi, sœurs siamoises depuis toujours ? J'emménageai dans un petit logement Calle San Gregorio, chez une dame qui s'était simplement présentée comme Inès de la Cruz. Tout de suite, elle s'était prise d'amitié pour moi. Je compris un peu plus tard que j'avais choisi cet appartement vieillot où ne pénétrait qu'une lumière parcimonieuse à cause de doña Inès, d'une élégance insolente en dépit de son vieil âge, et de son merveilleux jardin. Ce jardin était pour elle bien plus qu'un jardin, m'avait-elle expliqué, c'était une histoire d'amour, écrite par un homme qui avait passé cinq années à la courtiser. Il l'épousa puis mourut subitement le lendemain de leurs noces. Je n'ai pu m'empêcher de rire, puisque doña Inès s'était elle-même mise à rire, de ce rire étrange, un peu rauque, on aurait dit un cheval qui hennissait.

— *Pura verdad, hija!* J'en ris aujourd'hui, mais pendant longtemps j'ai pleuré. Même si j'ai toujours eu de la compagnie...

D'un geste élégant, elle ramena les pans de son châle de soie et me désigna les buissons qui bordaient le jardin.

— Ici, me dit-elle, nichent des colonies de passereaux, les entends-tu ? Ils sont très bruyants en fin d'après-midi, toujours à se chamailler, sans compter colombes, tourterelles, pinsons. Je ne suis donc jamais seule.

L'air fraîchissait agréablement, et divers parfums, parmi lesquels je reconnus ceux, incomparables, du jasmin et des fleurs d'oranger, jaillissaient de partout. J'adoptai donc le jardin d'Inès tout en continuant à me rendre le soir chez Soledad, où je restais parfois à dormir.

Soledad était alors dans un temps où la peinture lui permettait de vomir les rebuts d'hier. Elle les épinglait à coups de pinceaux rageurs sur des toiles, qui, trop souvent, finissaient lacérées ou brûlées. Elle avait malgré tout trouvé une voie qui déboucherait avec le temps, on le sentait, vers la sérénité tant désirée, dans une production polymorphe. À côté de ses fusains aux lignes dures, il y avait des huiles, en général des silhouettes de femmes aux courbes apaisantes, mais aussi une avalanche de toiles aux coulures sombres, représentant aussi des femmes, celles-là démembrées, pendues, tondues, femmes en miettes, chiffonnées, drapées dans des voiles de deuil et de tristesse, qu'elle peignait surtout au milieu de la nuit.

On la voyait aller et venir, possédée par ces images comme par des apparitions. Une de ces toiles, intitulée *Procession*, avait été réalisée avec des photos incrustées sur fond d'ocre et de sable. Y défilaient Mika, à différentes époques, Bé, Toni, Maria-Luz, sa sœur Ana Catrina et leur mère doña Angela, Clarisse, Hortense, Jeanne, Sonia, Maria et moi, en file indienne, sur une route escarpée, au bord d'une falaise. Une autre toile, *Hermanas*, était un collage hallucinant, sur fond rouge, où elle prêtait à Clarisse la moitié du visage de Jeanne, et à cette dernière une moitié de Mika, Mika et moi, rattachées par l'ombilic et ainsi de suite. C'était l'époque où mes nuits étaient habitées par les séquences incohérentes d'un film à rebours, toujours le même, les histoires tragiques de Mika et de Soli, qui, sans répit, déboulaient en moi. Elles me heurtaient, semblables à des pierres tombant lourdement au fond d'un puits, se mêlaient dans mes rêves aux créatures affolantes qu'inventait Soli. Dans mes nuits agitées, des images apocalyptiques me poursuivaient.

J'avais péniblement débuté des études en cinéma. Le témoignage, seul, me persuadais-je, pouvait rendre un sens à mon existence. Il me fallait donner à voir, à sentir, faire comprendre la vie des êtres humains dans l'enfer des dictatures. Je ne voulais pas inventer des vies, simplement les présenter ainsi qu'elles étaient. Comment dire l'indicible, où puiser les mots ? Malgré mon désarroi, je ne voulais pas céder à la tentation de laisser la trace de mes doigts sur un parchemin de tristesse. Il allait falloir hurler, déchirer le voile, ce refus obstiné de la mémoire confuse. Celle-ci me paraissait trop stérile. Je n'ai pu m'en débarrasser que le jour où j'ai repris le maillage, recollé tous les bouts. C'est au cours d'une de ces nuits du 5 janvier où je décidai de forcer le jour à se lever. Je devais, compris-je alors, m'abreuver à la source de ces morts qui jamais n'accordent de pause. Jusqu'où me fallait-il remonter ? À la première violence, à la première frayeur, à la toute première offense et au premier mensonge, faire le chemin à l'envers dans ces lentes et mortelles déchirures ?

Forcer le jour à se lever

« Dans ce pays où vit ta grand-mère Mika, la capacité des gens à encaisser semble avoir atteint le point limite. » C'est en ces termes que Soledad m'annonce que le pays de sa naissance se trouve pris dans la tourmente qui va aboutir au départ du cochon de mer. Je me rappelle être tombée sur une photo de ce type, ce Baby Doc. Je lui avais trouvé une ressemblance étonnante avec un animal qui vit au fond des mers et que l'on nomme scotoplane, concombre de mer ou encore cochon de mer. Le scotoplane, disait la légende, vit en eaux profondes, il se terre au fond des océans et mange tout ce qu'il trouve dans la vase. Stupéfaite, en entendant la phrase crachée par Soledad, j'ai repensé à la photo, à ce cochon de mer repu de tout ce qui lui est tombé sous la main. Il devait considérer ce pays comme un énorme marécage, son milieu naturel, dans lequel il barbotait depuis sa naissance. Il refusait donc de quitter le pouvoir, résistait à son éviction. Février 1986, une fois de plus, le sang coulait dans l'île. Haïti, pour les carnassiers, était une auge qui leur appartenait. Pas question de lâcher prise. Une fois de plus, ils n'hésitent pas à mettre en marche la machine de mort. Les massacres ne se font pas attendre, ils tirent sur des écoliers, en tuent plusieurs. L'histoire ne se répète point, elle se poursuit.

Le vendredi 7 de ce mois de février 1986, finalement, après avoir passé quinze ans à saigner l'île à son tour, le fils du despote François Duvalier, qui avait hérité à l'âge de dix-neuf ans du pouvoir de son père, a été obligé, sous la pression populaire, de plier bagage. Radios et télévisions de par le monde relatent la nouvelle. Moi, je ne tiens plus en place.

Je n'ai jamais mis les pieds dans ce pays et Soledad m'explique, avec dans la voix ce qui paraît être un détachement que je ne lui connaissais pas, que les sociétés dont les fondements sont l'exclusion sociale s'appuient sur le crime et l'impunité. Le départ de ce type remet-il en question la logique du système ? Elle en doute. L'impunité restera la loi, à son avis, elle continuera à régner. « Je ne veux plus en parler ! Compris ? »

Son ton n'admet aucune réplique et je sens alors que colère et rage l'habitent encore.

Cette nuit-là, je devais hurler au cours d'un rêve terrifiant, car lorsque j'ouvre les yeux, Soledad est dans ma chambre. « Tu as encore des cauchemars », me dit-elle d'une voix neutre, avant de refermer la porte.

Mal réveillée, agitée, j'hésite entre me préparer une tisane de lavande pour me calmer et regarder les photos. J'ai un besoin pressant des visages de ma mère, quel message, quelle confirmation, quel autre secret dois-je m'attendre à découvrir? La tisane attendra. Les photos de Soledad, j'en possède une tonne. En tout temps munie de ma caméra, je la poursuis, je la prends en photo, même endormie, me faisant souvent rabrouer. Pas un jour sans la harponner, dit-elle.

J'étale les photos, les déplace, traduis les mimiques, les sourires esquissés. Je trace du bout des doigts les contours des yeux, des lèvres, comme pour y chercher une vérité, un signe. J'espère sans doute y découvrir une fissure par où me faufiler, retrouver quelque chose qui m'a été dérobé.

Le jour n'est pas tout à fait levé, je parcours la maison à la recherche de Soledad, il faut que je lui parle. Elle doit se trouver dans l'atelier. En effet, elle y a passé la nuit. « Je me sens brûler de fièvre, lui dis-je, sortons marcher un peu. » Dans la clarté naissante de l'aube, tombe une lumière douce. Nous n'avons pas fait dix pas lorsque, d'un trait, je lui lance :

— Je refuse de vivre comme Mika, comme un escargot enroulé dans ma coquille.

— Il n'en tient qu'à toi de vivre autrement, me répond-elle de cette voix qui ne laisse filtrer nulle émotion.

Je me demande si elle sait à quel point je suis hantée par ces événements de janvier 1958. Je refuse que tout cela, tout ce qui est arrivé cette nuit-là soit oublié.

— Ce qui a été dérobé à Mika et à toi doit être rendu. Jeudi, je pars là-bas ! Rien ne m'en empêchera !

— Tu dois pourtant savoir qu'il faut se méfier des projets conçus dans la fièvre. On peut vouloir de toutes nos forces, s'entêter, s'acharner à réparer un accroc, pour se rendre compte après maints efforts que cela ne valait pas la peine. Le jour de cette mascarade, le jour où ce bouffon que les gens viennent de chasser du pouvoir a prêté serment, j'ai perdu pour toujours foi en la justice des hommes. Au fond de moi vivait toujours une petite flamme, comme ces petites lampes que les femmes de là-bas allument devant les images des saints pour obtenir quelque faveur. Une toute petite flamme, au bout d'une mèche de coton qu'elles attachent à un morceau de liège et placent dans un récipient, dans un mélange d'huile et d'eau. Ce lampion brûle quelques jours, j'imagine, jusqu'à l'obtention de la faveur espérée. Combien de temps mon lampion a-t-il brûlé ? Je l'ignore. Mais je nourrissais l'espoir que ce crime ne pourrait demeurer impuni. Papa carnassier aujourd'hui repose en paix, tandis que fiston aurait atterri en France, dans le sud, en villégiature, au pays des droits de l'Homme ! Ma lampe s'est-elle éteinte toute seule ou est-ce moi qui ai soufflé sur la flamme ?

Nos pas nous mènent comme toujours vers les jardins du Carmen de los Martires. Nous nous asseyons sur un banc, et Soledad caresse la pierre. Elle trouve dans ce geste une sorte d'apaisement. Les minutes s'écoulent, nous ne disons plus rien. La fraîcheur du petit matin ne peut rien pour sa peine, alors je la prends dans mes bras pour la toute première fois. Dans cette étreinte muette, nos membres se détendent, nos larmes se mêlent.

***

Je fouille la pochette de ma valise, cherchant l'adresse, la seule que je possède, mais je n'y trouve rien. À croire que la carte s'est volatilisée. Ça tombe mal. Au guichet, le fonctionnaire n'a pas l'air détendu. Visiblement agacé, les coudes sur le bureau, il me regarde avec une sorte d'insolence. Je lui répète : « J'ai de la famille ici. »

Guindé dans son uniforme, l'homme me redemande l'adresse tandis qu'il fait tourner lentement les pages du passeport. Il regarde tout autour de lui, comme pour chercher quelqu'un d'autre, un supérieur peut-être, mais ceux qui se trouvent à sa portée, trop occupés, ne portent aucune attention à son manège. Un autre zélé qui veut jouer à l'important. Le hall de l'aéroport est bondé de gens qui vont, viennent, traînent de lourdes malles. Tous les employés derrière les vitres paraissent harassés par la chaleur de ce début d'après-midi.

« Puisque vous n'êtes pas disposée à préciser où vous allez... » Il s'arrête au milieu de son discours, semble hésiter puis, s'écartant du bureau, il fait reculer la chaise, se lève. Il entrebâille la porte de la guérite, promène sur moi son regard, referme lentement la porte. Que veut-il signifier par cette inspection bizarre ? La sueur ruisselle le long de mon échine, la chaleur m'incommode. Qu'est-ce qui m'a pris de m'attifer de la sorte ? Je remets en place une épingle qui glisse, libérant une mèche de mes cheveux moites, puis je me souviens tout à coup que j'ai rangé les indications dans la pochette de la caméra. Je me mets à fouiller de nouveau avec fébrilité, mais soudain, comme frappée par une révélation, je me ravise. L'homme à présent me parle en anglais. Est-ce à cause de la distance qu'établit entre nous cette langue, je sens la tension diminuer, et m'écoute lui répondre : « I just can't find it. » Puis je m'empresse d'expliquer que je suis née et que j'ai grandi en Espagne, c'est ma première visite dans l'île, quelqu'un va peut-être venir me chercher. Agacé, il griffonne quelque chose, appose un tampon sur le passeport et me le tend.

***

Je parcours depuis mon arrivée la maison de Mika, la chambre de Mika, celle des jumelles, inoccupées depuis combien d'années, depuis leur départ pour aller vivre, l'une au Mexique, l'autre au Venezuela ; et, au fond du couloir, la chambre de Soli. J'y passe de longues heures à regarder les objets sur les étagères : cartes postales, livres aux pages jaunies, photos d'amis aujourd'hui oubliés, dans ce territoire qui n'est plus celui de ma mère. Les genoux relevés jusqu'au menton, je me suis pelotonnée dans les marches de l'escalier, cet escalier aux rampes d'acajou que mes doigts caressent. Si le bois pouvait parler.

Soledad, au cours d'un de ses brefs épanchements, m'a raconté qu'enfants, ils se livraient à des courses échevelées dans ce long corridor pour savoir qui enfourcherait le premier ces rampes vernies, ce cheval d'acajou sur lequel ils se laissaient glisser en poussant des cris de Sioux. Ce passé qui n'est pas le mien se trouve imprimé avec tant de netteté dans mon âme, il est là, sous mes yeux, il est réel. Toutes ces années... le temps est demeuré le même. Les militaires défilent dans de gros camions bâchés, poursuivent les jeunes affamés qui se livrent à des pillages et à des règlements de comptes. La ville flambe, partout des barrages, des pneus brûlent. Plus d'une semaine après le départ du cochon de mer, la colère des habitants est intacte, ils sont grisés, déchaînés. Une odeur de sang, de poussière et d'alcool, mêlée au goudron, flotte partout et vous prend à la gorge. Des bandes venues des bidonvilles, de tous ces quartiers sur lesquels crachent les possédants, prennent d'assaut les maisons, tandis que des voleurs en profitent pour s'emparer de tout ce qui leur tombe sous la main.

Caméra en bandoulière, lunettes de soleil me barrant le visage, j'arpente la ville avec un badge de presse qui m'a été donné lors d'un stage. Je n'ai pas terminé mes études de cinéma, qu'importe? Depuis toujours je ne fais qu'enquêter: Pourquoi? Comment? Questions difficiles, posées à des femmes trop souvent muettes, démunies dans leur détresse. Questions demeurées la plupart du temps sans réponse. Mais beaucoup de réponses sont arrivées simplement d'elles-mêmes, lors des crises de Soledad.

Toute petite, par exemple, je n'ai jamais imaginé qu'il me fallait un père, je ne cherchais pas à comprendre pourquoi je n'en avais pas. Aujourd'hui, je me demande si quelque chose de plus fort que moi, de plus fort même que l'instinct, me dictait que ce territoire était interdit, qu'il ne fallait pas en parler. À l'adolescence, pourtant, j'aurais voulu savoir, mais je savais aussi qu'il me fallait protéger Soledad.

Dans la ville saturée de peur et de rage, je ne sens étrangement pas de menace particulière, personne ne semble faire attention à moi. Pourtant, la violence est présente, elle imprègne l'air, se colle aux murs lépreux des bidonvilles, s'accroche aux barbelés dressés pour protéger les demeures des nantis. Partout, on dénote une agitation, et le soleil lui-même, si brûlant déjà dans ce jour encore neuf, montre des griffes, et puis des chiens, partout des chiens, tant de chiens errants, affamés, inquiets.

Dans le quartier où vit Mika, un groupe de jeunes, qui se tiennent toujours sous une tonnelle au bas du morne, m'ont adoptée. Ils veulent tous parler, tourner un documentaire, pour dire au monde ce que personne ne veut entendre : la voix fatiguée mais toujours pleine d'espoir d'une population trop longtemps bafouée. « Ils veulent que tout change et que tout reste pareil : rien pour nous, tout pour eux, avec en prime la répression ! »

Cette voix est celle de Gabriel : grand, efflanqué, son corps semble se couler tel un long serpent qui marche dans les airs. Son pantalon est retenu par une cordelette, il dit habiter au bas du morne dans une des cuvettes. Les yeux rouges de ne pas avoir dormi depuis la nuit du 6 février, annonce-t-il fièrement. « Nous avons décrété la permanence de la vigilance, jusqu'au nettoyage intégral du pays ! ». Il me met en garde :

— Ils ne lâcheront pas le morceau, alors fais attention où tu mets les pieds. Ils ont en horreur les journalistes, les photographes, les vrais. As-tu entendu parler de Manuel Buendia ? C'est un journaliste qui a écrit un livre sur les agissements de la CIA au Mexique, ils l'ont abattu en plein cœur de Mexico il y a deux ans. Je rêve d'être journaliste moi aussi. Mais ici nous n'avons que nos rêves.

— Vous avez aussi votre dignité.

La réplique de Gabriel fuse, brutale, des mots qui tombent, telle une grêle de pierres :

— J'en ai assez d'entendre rabâcher ce mot, je te le dis sincèrement. Pour un oui, pour un non, on parle de dignité ; s'agit-il d'une consolation ? Elle est bien piètre, crois-moi, car la dignité est mise à mal dans ce pays, le sais-tu ? Journalistes et hommes politiques sont vendus et à bas prix. On leur offre voyages, séminaires, comptes en banque. Il en est de même d'un grand nombre d'ONG : plusieurs s'établissent avec le mandat d'apporter de l'aide à la population, au fait, ce ne sont que des planques pour agents de la CIA. Combien sont-ils à remplir leurs comptes de banque grâce au département d'État ? En réalité, ils travaillent pour ces agences de mort. Où donc se trouve la dignité ? La mienne, ma dignité, c'est de me coucher à plat ventre la nuit en comprimant mon estomac, en serrant les dents pour faire taire les hurlements de la faim dans mes entrailles ! À dix-huit ans, continue Gabriel, j'ai déjà enterré père et mère, morts avant le temps, morts d'inanition et de misère, et Dieu seul sait ce qu'ils ont pu travailler ! As-tu vu les portefaix, Junon ? Les hommes qui, au marché, poussent les brouettes chargées tout comme des camions, des charges que même un bœuf ne saurait tirer seul ? Mon père a fait ce travail toute son existence, et il m'arrive de penser avec une douleur sourde, là, dans la poitrine, qu'il a souvent travaillé le ventre vide. Pire, il y a des hommes qui halent ces tombereaux et qui doivent en plus vendre leur sang pour nourrir leurs enfants. Il ne s'agit pas d'une figure de style, je t'assure. Dans une clinique en face de l'hôpital général – on raconte qu'elle a appartenu à un nommé Kambronne, affameur et vampire de renom au service de papa carnassier, pendant des années –, pour cinq dollars, les gens vendaient un litre de leur sang. Voilà le genre de démocratie qu'ils veulent mettre en place ! Tout le monde sait que ceux qui viennent de s'emparer du pouvoir, je veux parler du général et de ses acolytes, sont de la même école, tous ont été formés par les Américains à Panama. Ils ont reçu leurs diplômes de tortionnaires là-bas. Mais nous, ils ne nous auront pas ! Grenadiers à l'assaut !

Fiel et espoir dans les phrases de Gabriel. Un cocktail violent. Et je me surprends une fois de plus à tenter d'établir une échelle dans la souffrance, pour me rendre compte aussitôt qu'il n'y a qu'une odieuse plaie suintant de partout.

Gabriel s'écarte soudain de la bande, un type lui fait signe. Le nouveau venu semble bien plus âgé qu'eux tous. L'air désemparé, il avance à grandes enjambées. « C'est Jeremy », annonce Gabriel, la voix soudain altérée, avant de se diriger presqu'en courant vers l'autre. Les deux parlent pendant un moment en faisant de grands gestes. Au bout de quelques minutes, Gabriel revient, défiguré.

— Au cours de la nuit passée, raconte-t-il, l'armée a tendu une embuscade à un petit groupe de jeunes qui s'apprêtaient à envahir la maison d'un avocat. Ce dernier négociait les contrats de vente d'enfants orphelins avec l'étranger. C'est la bande à Jacques, du côté de La Plaine, précise-t-il. Ils les ont écrasés ! La bande complètement décimée ! On a beau expliquer, répéter qu'il faut prendre plus de précautions, qu'on est facilement infiltrés, ils continuent à accepter n'importe qui dans les cellules. Ils s'étaient mis en tête de traîner cet avocat sur la place pour le juger. Mais ils n'ont aucune expérience, se désole-t-il. Il y en avait un, Jamal, même pas encore quinze ans. Je les avais mis en garde contre toute précipitation. L'armée avait posté des hommes aux alentours. Comment ont-ils su ce qui se préparait ? À vous de trouver la réponse, grogne-t-il, en regardant à la ronde ses amis qui semblent tous désarmés. Ils étaient cinq, tous ont été abattus !

Il serre les poings.

— Vous entendez ? Tous abattus ! Quelquefois je me demande si nous ne nous sommes pas habitués à mourir ainsi, comme des blattes. Nous nous sommes accoutumés à contempler notre propre mort ! Cette petite bourgeoisie malpropre va certainement applaudir ! Ils vont danser de joie, crache-t-il, amer. Tu sais, Junon, comment ils nomment tous ces enfants des rues que tu vois un peu partout ? Ils les nomment *kokorat*, petits cafards ! Ils ont si peur de perdre leurs privilèges, ils nous extermineraient tous !

Le visage de Gabriel exprime dégoût et amertume. Il transpire abondamment, relève son t-shirt pour s'essuyer le visage. Sous sa peau violette, on peut compter ses côtes. Le petit groupe peu à peu se défait, tout comme un pull abîmé, dont les mailles, une à une, s'en vont. Je les vois se détourner, tourner sur eux-mêmes, trébucher. Deux d'entre eux ne tiennent plus sur leurs jambes, ils s'accroupissent, se prennent la tête dans les mains. Les voilà, le regard vide, ivres, à force d'humiliations et de désespoir. Ils sont là, autour de Gabriel, tous, la tête baissée, cherchant une raison d'espérer, dans la poussière, dans les cailloux que dans un geste mécanique ils lancent, du bout de leurs souliers défoncés.

Le temps s'étire, plus personne n'ouvre la bouche. Une musique guerrière nous parvient de la route, crachée à plein volume par un haut-parleur. Je pense soudain à Maria-Luz. Me reviennent les bribes d'une de nos très longues discussions à propos du franquisme. « Le fascisme ne vit que pour te déposséder, répétait-elle inlassablement », comme s'il fallait m'en convaincre. Son ton, d'ordinaire mélodieux, se faisait saccadé : « Il te prend tout, ne t'en prend jamais assez, te prend jusqu'à ton âme, comprends-tu ? » Sa voix s'enrouait tandis qu'elle poursuivait, citant un de ces grands auteurs, Mauriac, je crois, qui a écrit que le fascisme est avant tout l'art de neutraliser les masses, de les rendre inoffensives.

La musique a cessé brusquement. On n'entend plus rien, rien que le bruit sec des cailloux que tout autour de Gabriel, les garçons continuent à faire rouler dans la poussière. J'ai l'impression que le monde s'est arrêté. Les jours, les heures, tout est figé dans cet instant mystérieux, à la fois vide et plein de quelque chose qui tarde : événement, catastrophe, ou miracle, pourquoi pas ? Parce que la vie, eh bien, la vie ne peut se résumer à tant de désarroi. Et tandis que je les observe, ces pensées me heurtent, cognent en moi, comme on cogne à une porte, et je m'enfonce dans une insondable tristesse. Inoffensifs ? Certainement, jusqu'à un certain point ils le sont. Dans cet espoir insensé d'inverser le cours des choses, ils perdent tous leurs moyens, se retrouvent avec pour seule arme un désir fou terré dans leurs entrailles tel un animal prêt à bondir. Inoffensifs, ils ne se doutent que fort vaguement que leur destin, celui qui a été fabriqué pour eux, suinte la mort, non pas celle qui frappe au hasard, mais bien celle qui, soutenue par un appareil répressif, les piège sans pitié, les élit, les marque de son sceau.

— Tu sais, Junon ?

L'intensité dans la voix de Gabriel me fait sursauter. Il a les yeux rougis même sans avoir pleuré. Il brûle du dedans, il n'est plus depuis longtemps qu'une torche, un brasier qui ne s'éteindra qu'avec cette explosion que, tous, ils attendent.

— Il y a, enchaîne-t-il, de ces hommes qui ont soutenu Duvalier jusqu'au bout, même après avoir subi toutes les humiliations possibles. Comment expliquer cela ? C'est insensé, complètement insensé.

— Ce sont, comme le dit ma grand-mère, de bien étranges bêtes des profondeurs. Et ce comportement inexplicable, tu dois le savoir, n'est dicté par rien d'autre que par l'attrait du pouvoir. Il n'est pas facile de résister au pouvoir, Gabriel. Ne t'étonne pas si tu entends certaines voix, parmi elles celles de gens que tu n'aurais jamais cru capables d'une telle aberration, monter au créneau, envahir les médias pour défendre cette ordure que vous avez chassée du pays.

— Mais c'est tout ce qu'ils font depuis que le mouvement a commencé ! Ils réclament le rétablissement de l'ordre, et des sanctions contre les fauteurs de troubles que nous sommes.

Celui qui parle est Willy, cousin de Gabriel. Vêtu d'une vieille chemise usée jusqu'à la trame, il parle en baissant le regard, sans cet air de conquérant qu'affiche Gabriel.

— Ils vont finir par recevoir ce que nous leur réservons ! tonne alors Gabriel.

Et tandis qu'il lance cette injonction, Willy semble désemparé.

La douleur de voir ses camarades tomber comme des pigeons abattus par les carnassiers fait délirer Gabriel, la peur aussi, sans doute. En les observant, je me dis que le même sang coule dans mes veines. Tout comme eux, je suis une enfant de la violence.

Les enfants de la violence

Dans son bureau, face à la fenêtre, le lendemain après-midi, Mika me parle avec la plus grande émotion de ces nuits de siège au cours desquelles elle est demeurée coincée contre la grande armoire, des véhicules semeurs de mort en faction au bas de la pente.

— La nuit, je luttais contre moi-même pour ne pas m'abandonner au sommeil, personne, non personne ne saura jamais avec quelle impatience j'attendais cette lumière fauve qui annonce l'aube, soupire-t-elle.

En contrebas, envahi par les ronces, le petit chemin descend chez Toni.

— Toni est décédée quelques mois avant Bé, murmure Mika, un peu comme si elles s'étaient donné le mot. Figure-toi que jusqu'à son départ elle n'a jamais eu de nouvelles de son fils. Démarches, sommes incroyables d'argent versées ici et là contre des promesses, rien... Comme tant d'autres, les os de celui-ci doivent blanchir et se mêler à la poussière du cimetière clandestin mais connu de tous qu'est Titanyen. À la mort de Toni, la maison a été vendue par Clara, sa fille. Celle-ci est par la suite partie s'installer aux États-Unis. Une si jolie maisonnette, poursuit tristement Mika. Toni avait fait planter du bambou tout autour. Quand soufflait la brise, les feuilles produisaient une musique apaisante. Comment oublier? soupire-t-elle lourdement.

— Peut-on oublier? je lui demande.

***

Vers la fin de l'après-midi, je retrouve Gabriel sur la route. Nous délaissons l'espace qu'il occupait les jours précédents avec sa bande pour monter vers un énorme rocher, au haut d'une pente abrupte. Me tenant fermement par le poignet, Gabriel me remorque littéralement.

— Je te rappelle, lui dis-je, que je suis bien entraînée. J'ai passé tous mes étés dans les camps pour enfants, dans la campagne espagnole, et dans les forêts.

— Je ne doute pas de tes capacités, Junon, mais nous sommes pressés, riposte-t-il. Quand le soleil commence à descendre ainsi, c'est comme s'il glissait pour aller se fondre sans coup férir dans la mer. Dans peu de temps, l'obscurité va envahir la colline. Les jeunes doivent être déjà là-bas, à m'attendre.

J'ai l'impression de pénétrer au cœur de la montagne. Le fond de l'air est tout bleu, les arbres aussi. La majesté de l'endroit me coupe le souffle.

— Que ce pays est beau! ne puis-je m'empêcher de murmurer.

— Un autre de ces paradoxes que nous ne saurons jamais comprendre La nature est belle ici, résistante, et si généreuse. C'est sans aucun doute ce qui nous aide à résister nous aussi. Mais elle est, hélas, si mal traitée, cette nature. L'érosion, la coupe des arbres ravagent le pays. On prétend que Duvalier voulait faire abattre les arbres et décimer les forêts pour éviter que des rebelles ne s'y réfugient.

Dans l'anfractuosité d'un rocher, une touffe de verdure, puis soudain, des fleurs, splendides, on dirait des orchidées. Je ralentis le pas mais Gabriel refuse de s'arrêter à ces détails, il me presse, lève la tête, regarde les nuages, se demande s'il va pleuvoir et annonce :

— Les jeunes du quartier ont mis sur pied une brigade et ils continuent à faire la chasse aux carnassiers. Les militaires patrouillent sans relâche, ils ont troqué les DKW pour des tanks donnés par la CIA. Les semaines qui vont suivre s'annoncent cruciales, me prévient-il, fébrile. Nous avons formé plusieurs commandos et nous allons frapper partout sur le territoire ! D'abord, juger ces salauds, les exécuter, puis faire sauter leurs maisons. Toi, si tu veux filmer, reprend-il, il faudra attendre que l'un de nous t'accompagne.

Et tandis qu'il parle, je me surprends à l'écouter comme si sa voix me parvenait en écho. Sa voix résonne tel un grondement, un roulement d'orage provenant de ce brasier dans lequel son âme brûle en attente de plus de sang et de plus de violence. Nous voilà, je me dis, tous et toutes, prisonniers sur cette île, enfermés entre affrontements et représailles, dans une fureur que rien ne peut assourdir.

Me sentant tout à coup absente, Gabriel m'interpelle : « Tu pourrais, si tu veux bien, te préparer à filmer certaines séances des tribunaux populaires ». Il termine en m'annonçant que je ne le verrai pas pendant quelques jours.

Soudain il s'écarte de moi. Je vois alors avancer quelques garçons dépenaillés, tout comme lui, maigres, le visage émacié. Ils se saluent avec force accolades et tapes dans le dos. Ils parlementent. Au bout d'un moment, les autres se dispersent, Gabriel revient vers moi. Me prenant par la main pour guider mes pas et m'éviter les ornières, il continue à grimper comme une chèvre au haut d'une butte. Une fois tout là-haut, il s'adresse à moi : « Ouvre grand les yeux et dis-moi ce que tu vois ! »

Sans trop comprendre ce qu'il attend de moi, anxieuse, je promène mon regard, en faisant des efforts pour me concentrer. Appuyé contre un tronc d'arbre, Gabriel allume une cigarette. J'entends son souffle oppressé, je sais qu'il hume avec avidité. Je regarde partout puis, reculant de quelques pas, je le rejoins sous la frondaison. Ses lèvres desséchées attirent mon attention, elles sont fendillées, ses mains tremblent. Il doit crever de rage et d'impuissance. Dans le demi-jour qui s'étire, je vois d'immenses constructions juchées très haut. Certaines étincellent de blancheur, entourées de barbelés et de murailles aussi hautes que la demeure elle-même. Des tessons de bouteilles hérissés au rebord des terrasses font penser à des lucioles qui clignotent dans les dernières lueurs du soleil.

— En bas, tout en bas, je vois des cuvettes, des trous fouillés à même la montagne, dans ces cuvettes, ici et là, des petites boîtes, des milliers de petites boîtes empilées les unes par-dessus les autres, et des rigoles, et des gens qui de loin ressemblent à des fourmis, et des ravins pleins de déchets entre les rangées de boîtes...

Gabriel éteint sa cigarette en l'enfonçant dans la terre.

— Tu vois donc le deuxième pays, le pays d'en dehors. Ces petites boîtes sont nos maisons. C'est là que vivent ceux à qui on interdit le pain et l'eau et la serviette imbibée d'eau fraîche pour la soif, et l'école et le savoir. C'est le pays des gens qui n'ont d'autre choix que de vendre leur sang, vendre leurs enfants ou les voir crever...

Et tandis qu'il poursuit ainsi, je me mets à trembler. C'est alors qu'il me saisit le bras, avec force, cette force du désespoir, comme s'il voulait me convaincre de la justesse de son combat.

— Ce que tu vois en bas, Junon, dit-il, en serrant les mâchoires, c'est le pays de ceux à qui l'on demande de se traîner à genoux. Voilà pourquoi nous nous battons !

— Ils vont finir par vous descendre. Votre mouvement est un mouvement spontané et dans ce genre d'affaire, spontanéité et volonté ne suffisent pas. Il faut une organisation solide.

D'un ton sec, il réplique : « Notre organisation comporte bien des failles, mais les convictions, nous les avons, sois-en sûre, nous les avons depuis le berceau ! »

Le soir nous enveloppe soudain, ainsi que le prédisait Gabriel. La chaleur, pourtant, demeure intacte, l'air est lourd. Je sens malgré tout un courant d'air dans mon dos. Je frissonne, la peur fait son chemin en moi, je crains pour Gabriel et tous les autres avec lui. Leur vie ne tient qu'à un fil. Gabriel n'est encore qu'un enfant, je sens pourtant que le temps qu'il lui reste à vivre est bien court.

— Il y a tant de façons de mourir, reprend-il, comme s'il lisait en moi ; mais notre mort à nous, ici, sur cette terre, là où nous sommes, est programmée par les marchands de mort. Autant décider nous-mêmes du moment. Puisque nous ne pouvons espérer les voir au banc des accusés, nous devons nous en occuper ! Ce matin, à la radio, des voix s'élevaient contre le désordre instauré par des bandes de va-nu-pieds qui pillent les demeures des honnêtes gens. Tu vois leur culot ? Eux qui n'ont jamais levé le petit doigt pour exiger justice contre tous ces criminels qui aujourd'hui devraient se retrouver en prison au lieu d'être accueillis en France ou à Saint-Domingue ! Nous allons leur montrer de quoi sont capables les va-nu-pieds !

Je te le jure, Junon, mes camarades et moi sommes prêts à donner notre vie !

Des tirs de mitraillettes se font entendre. « La nuit sera bruyante et chaude, annonce Gabriel, rentrons. »

En rebroussant chemin, nous gardons silence. Avant de rentrer nous nous arrêtons pour parler à Mélanie, sa tante. Grâce à son petit commerce au bas du morne, elle élève seule cinq enfants et prend soin également de Gabriel. C'est un restaurant sans table ni chaises, annoncé par une pancarte en bois clouée sur un des montants de la tonnelle où elle s'abrite. Les gens, des hommes surtout, s'accroupissent dans un coin sous la tonnelle pour manger en silence du riz, du porc frit et des beignets luisants de graisse. Depuis mon arrivée, je m'arrête parfois pour lui parler, la voir à l'ouvrage. Ce soir, elle me raconte qu'elle n'a pas pu travailler les deux derniers jours à cause des événements.

— La fumée des pneus qui brûlent nous suffoque et les tirs, surtout, nous font perdre la tête. Il y a déjà tellement de blessés dans la zone, se lamente-t-elle. Le matin, dès quatre heures, je dois aller au bas de la ville pour les provisions, et revenir préparer le premier repas avant midi, puis ces fritures pour la soirée. Impossible ces jours-ci de circuler jusqu'en ville. Je dois donc acheter ici et là, et cela m'occasionne des pertes énormes. Tout est trop cher par ici. Mais comment ne pas travailler ? Depuis tous ces bouleversements, les soirées rapportent peu. Les gens ne sortent plus. Trop de loups-garous rôdent dans les rues à cette heure, ils tirent sur vous à bout portant.

Mélanie a très peur pour ses deux garçons, de dix-sept et dix-neuf ans.

— C'est un âge dangereux, murmure-t-elle tristement. Ils ne parlent que de manger les loups-garous, de leur régler leur compte. J'espérais de tout mon cœur, toute ma vie j'ai prié pour que mes garçons ne soient pas à traîner dans les rues. J'ai tout fait pour éviter cela. Je les ai conduits jusqu'à la classe de seconde, mais après, je ne pouvais plus. Les études coûtent trop cher. Et ils étaient de bons élèves en plus. Si intelligents ! Comme tu les vois là, si j'en avais les moyens, ils pourraient apprendre n'importe quelle profession.

La graisse chante dans son gros chaudron, Mélanie, pendant un moment, semble hypnotisée, les yeux fixés sur ces bulles qui éclatent, comme si elle y lisait un message. On la sent si fière de gagner sa vie, pourtant elle déclare :

— Quand je regarde ma vie, la vie des nègres d'Haïti aujourd'hui, je me dis que nous sommes ni plus ni moins que les enfants illégitimes du Bondieu, ceux qui ont été trouvés dans les maisons de passe du bord de mer, autant dire que nous sommes des *sanpapa.*

Elle regarde ma mine ahurie, puis éclate d'un rire franc, un rire énorme qui la fait tanguer vers l'arrière. Elle saisit l'ourlet de sa jupe pour essuyer une larme qui perle au bord de sa paupière.

— Que peut-on dire d'autre, ma chérie ? Ne vois-tu pas que nous sommes des orphelins ? Si nous avions un père qui pense à nous, nous ne serions pas dans cet état, tu ne crois pas ? C'est cela qu'il faut écrire dans ton journal ou dire dans ton film. Tu m'entends, chérie ?

Sans plus, elle retourne à son réchaud. Je laisse Gabriel et rentre à la maison retrouver Mika.

***

Accents pleins de ferveur de Gabriel. Désespoir sans recours de Mélanie qui tremble pour ses fils. Tant de jeunes assassinés depuis le début de cette révolte. Les gens sont désarmés devant la violence et l'impunité. Esclaves d'hier dans les plantations, esclaves d'aujourd'hui dans ces démocraties-prisons.

One night-blooming cereus

De retour à la maison, je retrouve Mika tout à l'écoute de sa voix intérieure. Recluse dans son univers, elle ne sort presque plus, et passe ses après-midis à parler d'antan avec monsieur Banuteau, qu'elle appelle son vieux camarade. De mon côté, trop occupée à essayer d'apprendre ce pays, je la vois peu.

Cet après-midi, m'informe-t-elle, des tirs nourris ont retenti de tous côtés.

— Je sais bien, je lui réponds. C'est affolant. Quand tout cela cessera-t-il ? Les vendeurs d'armes font de grosses affaires avec tous ces pays gangrenés par des guerres, des révoltes et des dictatures.

— Tu as bien raison, ma chérie. Ils nous empoisonnent carrément l'existence. Aujourd'hui Julien n'est venu que pour une petite heure. Il m'a apporté des pêches que nous avons de suite fait cuire, mais il est parti sans avoir pu y goûter à cause des rafales de mitraillettes.

— J'ai senti dès le jardin ce parfum qui donne envie tout de suite d'en manger.

— Ces pêches sont fabuleuses, annonce Mika en se dirigeant vers l'office pour un goûter.

Nous dégustons, elle et moi, de cette confiture délicieuse, un moment de tendre complicité dans l'odeur enivrante des fruits charnus et savoureux, venus, Mika m'explique, de la montagne. Kenscoff, Furcy: c'est là qu'elles poussent. La température s'y prête bien. Nous parlons de tout et de rien, Mika me raconte son enfance, avec Clarisse, qui avait la riposte facile, grimpait aux arbres et aux clôtures.

Très tôt, elle part se coucher, mais quand, au cours de la soirée, je vois la lumière filtrer sous sa porte, j'y frappe. Appuyée contre des coussins, elle lit, vêtue d'une nuisette lilas, sa couleur favorite. Elle arbore un visage serein malgré les tirs constants et le raffut de tous les diables qui monte de la route.

— Au bulletin de nouvelles, ils ont annoncé que des bandes armées de pics et de masses ont démoli les demeures de trois anciens ministres. Paraît qu'ils vivaient chacun dans un palais des merveilles. La riposte ne va pas tarder. Ils visent les jeunes des cuvettes, au bas du morne. Ces derniers sont téméraires, tu as dû t'en rendre compte, rien ne leur fait peur. Je te rappelle encore de ne pas trop t'exposer avec eux.

— C'est quand même malheureux que l'on saccage tout de cette façon.

— En effet. On aurait pu utiliser ces maisons somptueuses, acquises au détriment des plus pauvres, pour installer des écoles, des centres culturels, des crèches. Hélas, il y a tant de frustrations, tant de rancœur accumulée que les gens en deviennent aveugles. La destruction leur paraît être la seule voie. Je t'avoue, Junon, que je me sens fatiguée de cette situation.

Je voudrais bien pouvoir lui dire quelque chose de réconfortant mais je ne sais quoi. Je lui prends son livre, un ouvrage dont je ne connais pas l'auteur: Doris Lessing. Le titre, *Les enfants de la violence*, attire mon attention.

— En grande partie autobiographique, ce roman, m'explique Mika avec enthousiasme, est avant tout le récit d'un combat contre l'oppression, contre les contraintes morales et sociales, si étouffantes, dans une Afrique du Sud malade de l'apartheid. Lessing y parle aussi de l'engagement politique qui soutenait sa démarche d'écriture. Tiens, dit-elle, me le tendant, je te l'offre!

— En es-tu sûre?

— Je l'ai lu à plusieurs reprises, me rassure-t-elle. J'aime relire certains ouvrages, souvent plusieurs fois, car, une fois débarrassé de l'enchantement idéalisé de la jeunesse, notre regard perçoit autrement. L'acte de lire, tout comme le plaisir, se bonifie avec le temps.

— Je suis curieuse de savoir quand tu dors. Il y a presque toujours de la lumière dans ta chambre. Tu lis tout le temps?

— Je dors très peu, c'est vrai. J'ai peut-être appris à me méfier aussi du sommeil, qui sait?

Elle émet un petit rire. Elle rit encore de bon cœur, Mika. Elle rit souvent d'elle-même, de ce pays dont elle dit qu'il est tombé sur la tête, de Clarisse et de ses frasques, Clarisse qui a bien du mal à vieillir. Elle s'est réfugiée depuis deux ans au Mexique, et voue un culte sans pareil au tandem Khalo-Rivera.

— On essaie d'entretenir une correspondance régulière. Je t'assure que je me sens soulagée de ne pas l'avoir ici avec tout ce qui se passe.

— Pourquoi dis-tu qu'elle a du mal à vieillir?

— Eh bien, figure-toi qu'elle s'est pris un amant deux fois plus jeune qu'elle après avoir passé son existence à rabrouer les hommes.

— Qu'importe ? Mais... penses-tu que Tía Clarisse aurait voulu se marier ?

— Le seul mot « mariage » la rendait folle. Elle a toujours eu peur des hommes, je pense, peur de ce qu'ils représentent. Elle s'est tellement opposée à papa à ce sujet. D'un conformisme caricatural, papa ne s'était jamais consolé du fait que le ciel ne lui ait envoyé que des filles. J'ai souvenir d'une dispute mémorable entre Clarisse et lui. Il était obsédé par le célibat de Clarisse, prétendait que ce n'était pas normal. Imagine un peu ! Et voilà qu'un jour, il décide d'inviter une de ses connaissances, un médecin, preuve qu'il ne connaissait aucunement sa fille, car pour lui cet homme représentait un parti inespéré. « Comment comprendre que ce corniaud ne sache parler de rien d'autre que de sa profession ? » raillait par la suite Clarisse.

Mika raconte sa vie, les histoires de la famille, à la manière de contes sortis tout droit de ses livres, ces ouvrages dont elle se nourrit pour oublier le tragique de l'existence. J'en profite pour lui demander si Banuteau et elle sont amants. Elle me répond avec un brin de malice que je suis une *fouyapot.* « Tu veux tout savoir, trop savoir », reprend-elle, en faisant mine de retourner à sa lecture. Je joue l'innocence, lui dit qu'il me faut mieux la connaître, et je sens qu'elle veut en dire plus. Je m'installe donc confortablement au pied de son lit pour entendre une nouvelle histoire.

— Julien Banuteau est un très bel homme, racé, commence Mika, qui du même coup s'arrête, se demandant sans doute par où amorcer son récit.

Je ne sais trop à quoi elle fait allusion, mais l'expression « racé » me fait penser à un cheval, un beau cheval, il est vrai. Je ne veux rien brusquer. J'attends. Elle coule un regard vers la fenêtre, et tout à coup elle dit :

— Le jour où Banuteau a fait son entrée dans ma vie sur la pointe des pieds, j'ai remercié le ciel de me l'avoir envoyé ! Je me suis sentie pleine de gratitude envers l'existence d'avoir pu rencontrer cet homme que je considère comme un vrai compagnon.

Elle me fait un clin d'œil complice, je prends alors le risque de l'interrompre, lui demande la permission de me rendre à l'office chercher du thé. Je m'y précipite pour préparer une verveine, sa tisane préférée. Tout en disposant les tasses, je pense à Banuteau. Je le vois chaque jour se pointer à la même heure. Il est d'une politesse émouvante en ces temps où tout semble tellement laid et grossier. Par la grande porte-fenêtre, lorsque je l'ai vu venir le jour de mon arrivée, marchant à grandes enjambées tout en lissant sa moustache comme s'il se rendait à un rendez-vous galant, il m'avait fait penser à un danseur de tango. Il fait peu de bruit, se glisse par la porte entrebâillée comme s'il craignait qu'on lui en interdise l'entrée. Il adresse toujours un immense sourire à Mika avant de prendre son visage dans ses mains pour lui mettre un long baiser sur le front. J'aime bien son regard d'aigle aux aguets. « Il ne reste pas beaucoup de gens de la trempe de votre grand-mère », a-t-il complimenté lorsque Mika nous a présentés l'un à l'autre.

Il y a deux jours, je les ai vus, réfugiés dans le salon à cause de l'odeur prégnante de la fumée des pneus que l'on brûle et qui interdit la terrasse. Ils somnolaient en se tenant la main : Mika vêtue d'une robe en crêpe de Chine rose orangé rehaussée par un col en dentelle, lui avec sa veste élimée sur une chemise immaculée au col raide telle une bande de carton. Ils n'émettent que de vagues propos sur le pays qui s'en va on ne sait où, sur tout ce qui se passe au dehors, comme s'ils se trouvaient déjà hors de ce temps.

— Tu dois t'imaginer que, au moment où je l'ai rencontré, à près de soixante ans, je crois, et avec ce bagage qui est le mien, j'avais en quelque sorte banni toute espérance, repoussé tout désir d'avoir à mes côtés un amant, un compagnon, un ami. C'est tout ce que cet homme représente pour moi.

— C'est beaucoup.

— Il est surtout un grand, un très grand ami.

— Un peu compliqué, grand-mère, ne crois-tu pas ?

— L'amitié profonde aide à vivre. Une amitié réciproque nous porte à vouloir donner, donner à l'autre tout ce qu'on peut donner et non uniquement prendre de lui.

— Pour faire preuve de tant d'amitié, il faut être très humain, puisqu'il s'agit de générosité, d'une très grande générosité.

— Tu vois juste. En effet, Banuteau m'a offert son amitié tout entière, et je lui ai offert la mienne. L'amitié seule permet de se donner même physiquement, sans détours. Voilà ce que je vis avec cet homme, une amitié totale qui n'exclut pas l'amour physique, qui rend tout possible, nous jette l'un vers l'autre, l'un dans l'autre. Elle n'exclut pas la volupté, cette amitié, elle la bonifie et c'est, je te le dis, quelque chose d'intelligent, de généreux, de sublime.

— Ton histoire avec Banuteau, c'est tout cela ?

— Tout cela et bien plus. Banuteau est celui qui m'a offert la possibilité de voir cohabiter amitié, tendresse et désir. Par son amitié généreuse, il a redonné vie à mon âme.

— Regrettes-tu de ne pas l'avoir connu avant ? Je veux dire avant Charlot ?

— Je suis toujours dans le moment présent, Junon, c'est ce que la vie m'a enseigné. Bé était ainsi. C'est son héritage, je crois.

Mika fait une pause et semble plonger dans un souvenir agréable, elle sourit puis se remet à parler :

— Banuteau et moi, nous échangions magazines, livres, nos vues sur l'actualité internationale, nous discutions littérature et politique, et puis, un jour, il m'a fait porter une enveloppe. Dedans, une invitation à venir voir une plante chez lui.

— Une plante ?

— Eh oui ! Cette plante, dont j'ignore le nom français, se nomme en anglais *one night-blooming cereus.* Il s'agit d'un cactus, plante étrange, ou pour mieux dire, extraordinaire. Elle pousse comme bon lui semble, ne fleurit qu'une fois l'an et sa fleur ne s'ouvre que la nuit pour mourir le lendemain. L'éclosion du *cereus* est si spectaculaire que la coutume veut que certains jardiniers organisent des fêtes, un peu comme un anniversaire, à chaque fois qu'une fleur s'apprête à sortir. Depuis, chaque année c'est ainsi, nous fêtons l'arrivée de la fleur et notre rencontre.

— Parce que ce soir-là, il t'a fait des avances ?

— Nous avons passé cette nuit-là à bavarder face à la plante qui devait s'étioler et mourir le jour suivant. Et au matin, tandis que cet homme me versait du café, il s'est penché vers moi, a mis un baiser sur mon front. À part Bé et sans doute maman, jamais personne au monde ne m'a prodigué une telle tendresse.

— Mais que s'est-il passé ensuite ?

— Puisque tu ne me laisseras pas tranquille, je vais donc tout te conter.

Je me cale à présent contre un oreiller et plus rien d'autre n'a d'importance, ni les hommes et leur folie furieuse qui se déverse dans les rues de la ville, ni la fièvre qui m'a mise dans un avion pour me jeter dans cette tourmente. N'existent plus que deux femmes et une histoire d'amour magnifique. Mika dit cette histoire, et sa voix me berce :

— J'éprouvai aussitôt une sorte de fourmillement jusqu'aux cheveux. Puis je me mis à trembler, je manquais d'air. Je courus à la fenêtre, il me suivit. J'étais sur mes gardes, puis tout à coup, la pièce s'est mise à tanguer et sans trop comprendre comment, d'un seul élan, nous nous sommes retrouvés enlacés, à nous embrasser comme si le temps allait s'arrêter. Combien d'années de désir ou d'absence de plaisir laissions-nous aller dans ces soupirs qui nous faisaient perdre la tête ? Ce jour-là, ce jour-là, je te le jure, ma Junon, j'ai adressé une prière au ciel, reconnaissante d'avoir pu vivre ce moment. Cette prière ? Une manière pour moi de triompher de la peur, sournoise, vêtue des hardes du qu'en-dira-t-on, qui me guettait, cherchait à m'envahir. Je m'en rendis compte et alors, furieuse contre moi-même, je me mis à la combattre avec rage en goûtant à cette étreinte avec une volupté décuplée. Lorsqu'il se mit à hurler son plaisir, je paniquai. Jamais je n'avais entendu quelqu'un jouir de la sorte. Je le regardai et je vis que lui ne voyait rien. Les larmes l'aveuglaient.

Amours, reliques et philosophie

Le lendemain, au cours de la matinée, j'observe Mika qui remue depuis l'aube de vieux papiers entreposés dans des cartons, sur des étagères, et dans cette énorme armoire en acajou qu'elle nomme son bouclier et qui se trouve dans son bureau. Elle en détruit beaucoup, fait des piles, certaines pour Soli et mes tantes, ainsi que pour oncle Félix. Elle va sans doute les leur expédier. Je la vois trier de vieux journaux, des cartes postales, des photos, il y en a une tonne. Deux grandes enveloppes brunes portant la lettre J sont mises de côté. Je voudrais bien comprendre le pourquoi de ce remue-ménage. Je n'ose la questionner. Sait-elle que le pays va sombrer ? Met-elle de l'ordre avant la débâcle ?

Deux semaines déjà depuis mon arrivée. Aujourd'hui, les rues sont si agitées que je préfère ne pas sortir. Toute la nuit passée, les tirs de mitraillettes nous ont privées de sommeil. Des nuages de fumée noirâtre provenant des pneus qui brûlent obscurcissent l'horizon, le jour est à peine levé. Vociférations et cris nous arrivent de la route par bourrasques, s'engouffrent dans la maison en dépit des volets fermés. Nous passons la matinée dans le bureau de Mika, une pièce qui semble ne pas avoir été utilisée depuis de nombreuses années. Elle est quand même accueillante avec, un peu partout, des photos de ses enfants, à différentes époques, certaines dans des cadres, d'autres épinglées sur les murs, aux côtés de tableaux peints par Clarisse et Soledad. Heureuse de me reconnaître dans cette mosaïque, assemblage de visages qui me rappellent qu'il existe des langages autres que la violence. Il y a cet amour inconditionnel d'une grande dame, Mika Pelrin, les attentions de mes tantes Sonia et Maria, l'amour de Maria-Luz. Dans un coin de la pièce, une console, encore des photos : Bé, Jeanne et Gertrude, mon arrière-grand-mère, mère de Mika. Pendant un long moment, comme je le fais depuis mon arrivée, je regarde ces femmes alignées sur la console, chacune dans son cadre. Puis j'invite Mika à prendre une pause, à abandonner pour un moment ce remue-ménage, le temps d'un café. Nous nous asseyons dans des berceuses de métal. Sur chacune d'elles, un amas de châle dont Mika s'empare pour nous permettre de nous asseoir.

— Ce sont les chaises de Bé et de Jeanne, explique Mika.

J'aperçois deux magnifiques *manton* flamencos rapportés d'Espagne. Elle les déplie pour me les montrer, les hume, enfouissant la tête dans le tas de tissus.

— Cette pièce est comme un sanctuaire pour toi, n'est-ce pas ?

— C'est un peu comme tu dis.

Tout en parlant, Mika attrape sur un coin de la console une vieille boîte en fer-blanc. Elle l'ouvre et se met à trier : épingles de sûreté, aiguilles, boutons de nacre, dés à coudre.

— Les boîtes à couture sont des tiroirs à secrets, dit-elle. Celle-ci a appartenu à maman Gertrude.

L'émotion est intense dans sa voix, et si présente autour de nous, comme une troisième personne dans la pièce.

— Souvent, je sens leur présence, si tangible que c'en est presque éblouissant.

Notre café est maintenant complètement froid. Refusant de rompre l'enchantement, nous le buvons tout de même, pour étirer le temps, pour ce bonheur d'être ensemble, et je reviens aux photos sur la console :

— Il t'arrive de leur parler, à toutes ces femmes ?

— Et comment que je leur parle ! Je n'aurais pas survécu sans elles. Là où elles se trouvent, elles doivent s'attrister de ce que notre cauchemar est loin d'être terminé et Bé à coup sûr se réjouit de voir que je suis malgré tout demeurée une femme debout ! Cette salle de travail de jadis est devenue, comme tu dis, mon sanctuaire. C'est quand même ironique, car elle a déjà été ma prison. Ici même, j'ai vécu mon agonie les nuits précédant le 5 janvier 1958. La présence de ces femmes en ce lieu me restitue un peu de ma dignité bafouée. Ensemble, elles me consolent de la parole perdue, je n'écris plus mais je leur parle, je leur raconte tout. Pour moi, c'est important. Lorsque rien ne va, je sais qu'elles sont là. Je n'ai qu'à fermer les yeux, me recueillir, pour les entendre. Je puise dans ce dialogue avec elles une énergie, une sève primordiale, fondamentale. Quand je m'effondre, elles sont le ciment qui me permet de recoller les miettes.

— Certaines personnes croient que les morts reviennent leur rendre visite.

— Je suis de celles-là et je peux t'assurer que j'entends leurs voix, celle de Bé, surtout, son rire éclatant.

— Tu entends leurs voix ?

— Bien sûr.

— Et tu n'as pas peur?

— Il vaut mieux craindre les vivants, ma chérie. Et puis, je vis depuis si longtemps avec des fantômes. Celui de ma mère, d'abord, qui depuis mes cinq ans d'âge m'accompagne. J'ai toujours eu de longues conversations avec elle, et je me rappelle que papa me traitait alors de tous les noms: il disait que j'étais timbrée. Il m'arrive de la convoquer lors des moments difficiles: «Écoute, maman Gertrude, je lui dis, puisque les morts détiennent des pouvoirs, débrouille-toi comme tu le peux pour me sortir de ce bourbier!»

Mika a un visage grave. Je me dis qu'elle est en train de s'amuser à vouloir m'effrayer. Je demeure interdite, ne sachant quoi dire. L'idée de me trouver dans une maison où les fantômes se promènent ne me sourit guère.

— Je sais lorsqu'elles viennent, lance tout à coup Mika.

— Lorsqu'elles viennent? Viennent où? je balbutie tandis que Mika, qui garde son sérieux, fixe la porte d'entrée.

— Il arrive, reprend-elle, que la porte s'ouvre, puis se referme sans aucun bruit. Le courant d'air m'annonce leur présence. Elles pénètrent dans la maison avec une espèce de souffle chaud, comme une vapeur qui s'engouffre avec elles. Il m'est arrivé, sais-tu, de les entendre rire. Des rires... on dirait étouffés. Comme si elles faisaient en sorte de ne pas être trop présentes. Une fois, il n'y a pas si longtemps, j'ai entendu Bé, son rire inimitable! Puis au même moment, j'ai commencé à entendre bouger les objets dans la boîte. J'ai pensé que Bé fouillait dans la boîte à couture. J'ai attendu qu'elle ne soit plus là pour ouvrir à mon tour la boîte. C'est alors que je compris la raison de son hilarité.

Tout en parlant, Mika ouvre la boîte, y plonge la main et en sort un binocle cerclé d'argent, puis elle éclate d'un rire amusé.

— Ce binocle fait partie des trophées de Bé !

— Des trophées ?

— Figure-toi que cet homme qu'elle avait épousé – vois comme c'est drôle, je ne me rappelle même plus son nom – était un vrai bigleux.

Mika se mouche, rit à nouveau.

— Il louchait et possédait une panoplie d'instruments de ce type. Pour le punir, Bé les avait tous emportés dans sa valise le jour où elle a quitté la maison. Tante Jeanne l'avait baptisée Béatrice la Terreur.

— Mais pourquoi gardait-elle cet objet ?

— Pour un de ses spectacles, sans aucun doute, répond Mika, s'esclaffant de nouveau. C'est que Bé savait s'amuser à monter de véritables mises en scène avec décors et costumes impressionnants où elle était à la fois actrice et spectatrice. Il s'agissait, nous expliquait-elle, de rituels qui, je la cite, « la remontaient ». Ses favoris étaient ceux qu'elle désignait par, écoute-moi bien, *enterrement des choses nuisibles et inutiles.* Le but ? Se débarrasser de toutes sortes d'objets, de pensées, ou de situations, ou plutôt de personnes dont elle ne voulait pas dans son existence. Je l'ai déjà vue couvrir de son écriture ronde d'immenses feuilles de papier kraft qu'elle déchirait soigneusement par la suite, et qu'elle faisait brûler dans une espèce de cassette de métal.

— Mais qu'écrivait-elle donc ainsi ?

— Elle décrivait soigneusement une situation, une querelle, quelque chose qui la tourmentait, puis elle faisait brûler le papier et enterrait la cendre.

Un éclat de rire irrésistible me secoue.

— Mais tu n'as encore rien entendu! m'interrompt Mika, tandis que je ris de plus belle. Quand l'envie lui en prenait, elle dansait sur la fosse comblée. Une fois, elle a uriné sur la fosse. C'était à l'enterrement de son ex-mari.

— Ne me dis pas qu'elle a assisté aux funérailles pour ensuite...

— Non, dit Mika, tu ne comprends pas! Très tôt un matin, Bé se lève et décide que, pour elle, cet homme est mort et doit être enterré. Elle découpe en tout petits morceaux quantités de photos du type, puis les brûle avec plein de documents: acte de mariage et de naissance, et des tas d'autres objets. Tout de blanc vêtue telle une prêtresse vaudoue, elle creuse elle-même le trou, puis comble la fosse. En ce temps-là, tout comme Clarisse, Bé portait des tas de bracelets. Sur la fosse, nous avons vu notre Bé danser au rythme de sa musique. Comme elle était très grande de taille, imagine un peu le spectacle. Et puis soudain, elle a retroussé sa jupe, s'est accroupie et nous l'avons entendue dire: « Bois à ta soif, sacripant! »

***

Vers cinq heures, nous traversons chez Banuteau, qui nous invite à souper. La maison ressemble à son propriétaire, vieillotte mais soignée. Jusqu'à la brique du patio et sa couche de mousse verte, tout semble harmonieux. Elle est construite sur une petite élévation, et le jardin, somptueux, s'étale en contrebas. L'air est lourd, chargé, de gros nuages gris s'amoncellent. La soirée promet par contre d'être agréable. Entre de délicieux canapés avocat et saumon fumé, notre amphitryon me fait visiter son imposante bibliothèque. La plupart de ces ouvrages ont fait avec lui plusieurs longs voyages, en Europe d'abord, en

France, puis en Suisse où il a étudié à l'école d'ingénieurs et à l'école d'architecture de l'Université de Genève. Il obtient son diplôme en architecture, puis décide d'entreprendre des études de langues anciennes et de philo. Intarissable, Banuteau me raconte l'Afrique des indépendances, le Sénégal où il a vécu plusieurs années, le Congo, la Guinée, le Bénin, tous ces territoires qu'il a parcourus, disait-il, sortaient à l'époque de la brutale possession coloniale pour plonger dans la violence des régimes autoritaires et des luttes tribales ou ethniques.

Avec élégance, le bel homme nous entretient, d'un air cérémonieux il remplit nos verres, évolue autour de nous sur sa terrasse, une oasis entourée de bougainvillées multicolores. Je suis fascinée par ses mouvements souples, il doit certainement pratiquer le yoga, mais je n'ai soudainement plus envie de m'intéresser à son bavardage. À tant parler et virevolter, il me donne le tournis. Je fixe pendant un long moment ses mocassins beiges au cuir souple et bien lustré et je comprends alors que le temps chez Banuteau n'est pas du tout le même que le temps dehors, au-delà de la grille qui sépare sa propriété de la route.

Il y a dans ce pays deux pays, deux temps différents. Mes pensées vont subitement vers Gabriel et ses amis, enfermés dans un temps si éloigné de toute mansuétude, et le pinot d'Alsace, si frais et si délicieux, tout à coup me met la gorge en feu. Je propose de visiter le jardin. Mika et Banuteau échangent un regard complice et embarrassé quand je leur demande de me présenter le *cereus*. Mika se met à feuilleter une revue qui traînait sur un guéridon, tandis que Julien Banuteau, ravi, me précède dans son verger.

— J'ai tout planté moi-même, explique-t-il fièrement, en foulant le sol à grandes enjambées. À mon arrivée ici, il n'y avait qu'un terrain recouvert d'une herbe chiche. N'est-ce pas que l'amour permet des merveilles ? Il ne fallait qu'aimer cette terre, voyez comme elle me récompense.

J'admire orangers, avocatiers, papayers ; la luxuriance des jacarandas, des lauriers-roses et blancs m'émerveille. Il déplore ce qu'il nomme le triste divorce de l'homme d'avec les éléments naturels, et ne peut vivre qu'entouré de plantes. Nous faisons le tour de la maison pour retrouver Mika et pénétrons par une véranda située du côté est. Je découvre alors cette plante incroyable, ce *cereus* dont m'avait parlé Mika. Avec ses longues branches lancées ici et là, on ne voit qu'elle. Une plante bien particulière, je m'arrête pour la contempler et j'entends la voix de Banuteau : « C'est ma plante chance », dit-il comme pour lui-même.

Il a été jadis professeur de grec et de philosophie, nous discutons de tout et de rien après le repas. Banuteau est d'avis qu'il faut revoir le modèle démocratique que l'on veut imposer au monde car la souveraineté, explique-t-il, à coup sûr, n'émane pas des peuples. Au bout d'un moment, je ne l'écoute plus qu'à moitié. Je découvre qu'il appelle à plusieurs reprises Lina, sa vieille servante. À chaque fois, celle-ci grimpe tout essoufflée l'escalier, accourant lui porter un verre d'eau pour ses pilules, puis son foulard parce qu'il craint de s'enrhumer, et je ne sais quoi d'autre. Cet homme élégant est un produit de la société qu'il condamne avec ses belles paroles. Lina a préparé le repas, fait le service puis vidé la table, et quand j'ai proposé d'aider, d'un geste, Banuteau m'en a empêchée. Je me sens au bord de l'explosion.

— Depuis combien d'années Lina vous sert-elle du matin au soir, Monsieur Banuteau ?

Il me regarde, interloqué, puis bredouille quelque chose d'inintelligible. Je comprends qu'il marmonne « je ne sais plus ». D'un ton embarrassé, Mika vient à la rescousse de son ami. Elle rétorque qu'il offre des conditions de travail fort enviables à sa servante.

— Je l'envoie même chez le médecin régulièrement, avance Banuteau, revigoré par l'appui de Mika.

— Dans une vraie démocratie qui prévoit des chances égales pour tous, cette femme ne devrait-elle pas pouvoir aussi se reposer à l'âge qu'elle a ?

Au lieu de me répondre, le bel homme élégant à la moustache soignée me fait signe de baisser la voix, Lina pourrait nous entendre. Il hoche la tête d'un air sombre tandis que Mika s'emmitoufle dans son châle comme si elle avait à se protéger de quelque danger. Les minutes s'écoulent. Il a commencé à pleuvoir. Le silence entre nous est tel que j'entends les gouttes de pluie sur les dalles dehors. Mika tousse bruyamment et Banuteau quitte précipitamment la pièce, annonçant qu'il va arroser les plantes parce qu'il a fait très chaud. « C'est intéressant d'arroser des plantes sous la pluie », je dis à Mika, d'un ton mauvais. Je crois déceler sur son visage une dureté que je ne lui avais jamais connue.

— Tu le sais, grand-mère, cette attitude envers Lina est inacceptable.

Choquée, lèvres pincées, elle ne répond toujours pas. Pendant un long moment, je garde le silence. Assise face à moi dans un fauteuil en rotin, ma grand-mère tente de rester calme, et je décèle aussi, dans les petits mouvements de crispation involontaire de son visage, qu'elle essaie d'endiguer sa colère.

Malgré moi, je la poursuis :

— N'es-tu pas la première à m'avoir enseigné le refus du silence ?

Pour mettre fin à ce supplice, Mika décide qu'il vaut mieux rentrer à la maison. Nous saluons Banuteau, qui est revenu tout penaud de sa séance d'arrosage, et nous partons.

Buste droit, menton relevé, Mika me précède, alors que d'ordinaire, elle prend plaisir à me tenir le bras. Déçue, je règle mon pas sur le sien, tandis que mille questions se bousculent en moi. Il est vrai qu'en sa présence, me sentant en quelque sorte aimée, comprise, j'abandonne ce caractère renfermé et agressif qui est le mien et je m'extériorise beaucoup plus. Mika, me dis-je, me donne confiance en moi-même, et je me demande si, à cause de cela, j'aurais dû montrer plus de respect envers Banuteau. En revanche, ne devrait-elle pas faire preuve de solidarité envers cette femme ?

Les cris des sans-voix

Réveil maussade aujourd'hui. En silence, nous prenons, Mika et moi, notre café puis nous nous installons au salon, chacune avec un livre, et je sens que c'est à qui boudera plus longtemps. Le soleil sort à peine. Entre tristesse et déception, lentement, les heures s'écoulent. La matinée, dans une telle atmosphère, promet d'être longue. Je sors sur la terrasse fumer une cigarette. Un tintamarre inquiétant, venant du bas du morne, m'accueille. On dirait que la frontière invisible soudain s'effondre, un mugissement qui semble jaillir des entrailles de la terre monte jusqu'à nous. Mika accourt. Les yeux agrandis de terreur, elle rassemble son châle, trébuche, je la retiens, lui tiens le bras. Nous rentrons en vitesse et refermons la porte, les voix nous accompagnent à l'intérieur de la maison.

Mika prête l'oreille: « Écoute, écoute bien, j'entends des femmes hurler, c'est la voix de la mort. »

Je m'habille en toute hâte et, en faisant les cent pas, j'attends Mika qui a décidé de m'accompagner. J'interprète son désir d'être avec moi comme un moyen de me protéger mais aussi de faire la paix. Il nous est impossible de demeurer dans ce froid qui s'est installé depuis notre discussion la veille. Nous nous sentons incapables, l'une et l'autre, de rester ainsi barricadées, coupées de la vie qui hurle au secours.

Sur le chemin, d'autres gens accourent, certains trébuchent dans les ronces et les halliers qui bordent la route, d'autres vont comme des zombis, les bras tendus.

Je voudrais bien courir beaucoup plus vite, dévaler la pente mais je dois régler mon pas sur celui de Mika. Je sens mes genoux faiblir lorsque je pense à Gabriel, son impétuosité, ce raid qu'ils préparaient, disait-il, dans la zone de La Plaine.

Combien sommes-nous à courir ainsi à l'appel de la mort ? Curieux, amis, parents convergent, surgissant de partout, arrachés de leur sommeil matinal par le vacarme. Ce ne sont point des cris, mais plutôt, comme le disait Mika, la voix de la mort qui monte de la route, des cuvettes et des ravins et nous hale jusqu'en bas vers l'amas de bicoques.

Tout cela enfle, plus fort que tout, venant des poitrines des mères, des pères qui ont perdu leurs enfants au cours d'un autre assaut meurtrier. Les corps mutilés de plusieurs jeunes viennent d'être retrouvés dans une ancienne carrière de sable.

Les cris nous guident jusqu'à la maison de Mélanie. Elle hurle et se tord de douleur dans la poussière. Ses deux garçons, ainsi que Gabriel, sont au nombre des victimes. D'autres femmes s'agrippent aux arbres pour ne pas tomber et mourir sur-le-champ, elles aussi terrassées par l'horreur. Accroupis sur les talons, les hommes beuglent, les mains soutenant leur tête, comme s'il s'en fallait de peu pour qu'elle se détache.

Dans un accès de folie, Mélanie se relève et court sous l'appentis pour se saisir d'un coutelas. D'une démarche d'ivrogne, elle se met à zigzaguer vers un enclos où grognent deux porcs. Elle tourbillonne dans la poussière, arrache ses vêtements et il faut bien quatre hommes pour la contenir. On l'entend hurler qu'il ne lui reste plus qu'à mourir, sacrifiée, comme une truie : « Voilà, c'est tout ce que nous sommes, regardez ce qu'ils ont fait de nos enfants, saignés comme des cochons. »

Plus tard, Banuteau devra faire appel à un médecin de ses amis pour lui administrer des calmants. Le même soir, j'assisterai en sa compagnie à la veillée. Mika ne s'en sent pas capable.

— Lorsque je suis venue vivre dans ce quartier, me disait-elle ce matin, Mélanie n'était qu'une toute jeune fille, pimpante, rieuse et si serviable. La vie s'est chargée d'en faire une femme démantelée !

Mika connaît Mélanie depuis au moins vingt-cinq ans. Elle a vu naître et grandir les garçons. Elle a été témoin de son combat pour les élever, de ses espoirs insensés pour faire sortir de la boue ces deux poteaux-trésors, ainsi qu'elle aimait à les présenter.

Mika pleure tout l'après-midi, enfermée dans son bureau, face aux photos de Bé, de Jeanne et de sa mère Gertrude, ses trois amazones, impuissantes.

— Si les mortes avaient un quelconque pouvoir, nous serions depuis longtemps débarrassés de cette sale engeance, lance-t-elle en reniflant. Tu dois penser comme bien des gens que sainte Mika a tout oublié, tout pardonné, ajoute-t-elle à brûle-pourpoint. S'il en est ainsi, tu commets une grave erreur de jugement, mon enfant. On ne peut pas pardonner lorsque le bourreau estime qu'il n'a rien à se faire pardonner. Si j'ai endormi la haine et le ressentiment, je n'ai rien oublié, absolument rien. Crois-moi, je leur en voudrai jusqu'à ma mort de cette nudité à laquelle ils m'ont condamnée pour le reste de ma vie. Je n'ai eu de cesse de chercher un lieu où me cacher. Mon silence ? C'était pour sauvegarder le peu de dignité qu'ils m'ont laissée. J'ai de tout temps, de toute mon âme souhaité me venger de ces salauds !

La surprise me laisse pantelante. C'est la première fois que j'entends Mika s'exprimer de la sorte.

***

Aujourd'hui, jour des funérailles, les carnassiers paradent dans le quartier. Ils pavoisent et font crisser leurs roues, en soulevant d'épais nuages de poussière grise. Les risques sont grands que tout cela se termine en émeute et fusillade, prédisent Mika et Banuteau, mais j'ai décidé d'assister coûte que coûte aux funérailles, et Banuteau, malgré ses réticences, m'y accompagne.

L'église est pleine à craquer. Les gens se massent sur le parvis, dans les ruelles avoisinantes. D'un côté se déploie la provocation : motocyclettes pétaradantes, uniformes bleu et rouge, fusils en bandoulière. De l'autre, une foule recueillie, des femmes vêtues de blanc, un foulard noué sur la tête et à la taille, se lamentent, gémissent, et des hommes qui savent qu'ils n'ont d'autre choix que de se tenir droit pour avancer. J'ignorais qu'ils allaient chanter les funérailles de tous ces jeunes en même temps. « C'est insoutenable », dis-je à Banuteau, lui aussi raide, impressionné par le courage de cette multitude que l'on broie sans pitié. Je lui tiens le bras, un léger tremblement l'agite. Il me gratifie de temps à autre d'une petite pression de l'autre main, comme pour dire : « Je suis là, avec toi, à tes côtés, je suis aussi avec eux. Fais-moi confiance. »

Des cris, d'abord isolés et plaintifs, commencent à se faire entendre, s'élevant de partout dans les allées, au moment de l'homélie lorsque le curé évoque « ce cadeau inestimable que sont les enfants que Dieu nous a donnés et qu'il nous reprend». Du fond de la nef, une voix crie: «Se pa BonDye, se assassin!» Les cris vont crescendo pour atteindre quelque chose de surhumain, de terrifiant au moment où le chœur des femmes entonne un chant d'adieu que tous reprennent à l'unisson.

Nous n'allons pas au cimetière, Banuteau et moi. La route est longue, le soleil déjà très chaud. À petits pas, nous regagnons la maison où Mika nous attend, le visage défait par la tristesse. Nous mangeons du bout de lèvres une salade et du poulet froid. Nous mangeons en silence, comme si nous acceptions ces événements intolérables que nous appelons pudiquement le malheur, nous mangeons tandis que nous nous sentons à l'étroit dans cette vie. Nous mangeons peu et pendant que Mika et Banuteau se réfugient dans le salon pour se tenir la main, se dire qu'ils sont vivants, je vomis mon déjeuner. J'ai l'impression de vomir mes entrailles, tandis que ma détresse, mon besoin de vengeance demeurent là, au-dedans de moi, comme un enfant terrible dans mon sein, un enfant qui prendra ma vie le jour où il fera entendre sa voix, je le sais.

***

Au cours de l'après-midi, j'ai fini par m'emparer des deux grandes enveloppes brunes que Mika laissait traîner sur son bureau depuis mon arrivée. J'avais remarqué qu'il lui arrivait de les déplacer: elle les posait sur les fauteuils, pour les remettre sur la table un peu plus tard. Ce manège me faisait penser qu'elle nourrissait quelque hésitation. Craignait-elle ma réaction? Ou espérait-elle que, tenaillée par la curiosité, je me laisserais aller à les ouvrir? Ce qu'elle ignorait, c'est que je me doutais de ce qui s'y trouve.

Les copies de ces documents dorment chez Soledad. Ma quête, qui a duré près de vingt ans, cette nécessité de plonger dans le passé pour essayer de comprendre Soli, de trouver la source de son chagrin et de cette colère permanente en elle, m'a menée à ouvrir bien des tiroirs. J'ai fouillé partout et c'est ainsi que j'ai découvert les coupures de presse traitant de ce crime odieux du 5 janvier 1958. J'ai fait les recoupements, trouvé les noms, tiré les conclusions. Mais dans ces enveloppes, pour la première fois, j'ai vu des photos. Elles sont soigneusement identifiées. Mika a inscrit au dos de chacune d'elles le rôle joué par chacun des acteurs. Elle a noté les détails permettant de les identifier.

***

Très rapidement, j'ai compris que je ne pouvais espérer avoir accès même à des registres jaunis et poussiéreux, ni aux archives de la police ou d'un quelconque ministère. À quoi cela aurait-il servi d'ailleurs ? J'ai parcouru les rues, essayant de parler aux gens, qui, effarés par mon audace, s'écartaient presque en courant. Il n'y aurait sur mon chemin ni vieillards ni griots à interroger sur cette histoire qui semblait n'avoir jamais existé. J'avais donc résolu, malgré ma répugnance, à pénétrer le cercle intime des carnassiers, surprise de constater l'aisance avec laquelle ce badge du journal *El Pais* m'ouvrait les portes. Mon accent exotique, mon minois de jeune fille modèle faisant le reste. Tous ces hommes bedonnants de suffisance que j'ai rencontrés avaient quelque chose à dire au sujet de la démocratie naissante dans ce pays, une démocratie dont ils étaient les architectes. Ils m'invitaient à manger, tentaient de me séduire. Je ravalais ma colère, déclinais poliment ou acceptais leur invitation, selon l'importance du personnage. J'ai poursuivi mon enquête pour finalement apprendre que celui qu'entre eux tous j'espérais trouver se terrait dans le sud-est, dans la ville de Marigot.

J'avais recueilli ces derniers détails auprès d'un vieil ivrogne que j'aurais trouvé pathétique s'il n'avait eu tant de crimes sur la conscience. Il s'agissait d'un certain Romain, qui se vantait d'avoir fait partie de la première génération de carnassiers, les vrais, clamait-il avec orgueil. Il s'était présenté comme « major à la retraite, toujours au service de la patrie ! ». Il arborait fièrement son badge des Forces armées, et portait une arme. Au cours de notre entretien qui eut lieu à la terrasse d'une pizzeria, dans le quartier de Pétion-Ville, j'ai fini par connaître l'adresse exacte de l'homme. J'ai cru déceler, lors de cette rencontre, parmi les gens attablés, un malaise sur lequel je ne parvenais pas à mettre un nom. Me prenaient-ils pour une prostituée prête à se livrer à cette charogne pour un repas ? Était-ce la peur ? Plusieurs clients s'étaient figés lorsqu'il était apparu. Le bruit des voix s'était rapidement atténué, et le serveur avait failli s'affaler tant il montrait d'empressement, accourant à notre table pour offrir ses services.

J'ai encore dans les oreilles la voix de la bête, nostalgique des années où le père se trouvait aux commandes : « Nous étions une équipe de choc, je vous dis. Le pays marchait comme sur des roulettes ! Nous ne tolérions aucune incartade. Dans notre équipe, on comptait Gracia, Barbot, Désir, Maître, Borges et beaucoup d'autres, car la tâche était lourde. Certains d'entre eux ont fait le grand voyage, mais leur âme demeure et nous accompagne. Désir est mon voisin, si vous voulez le rencontrer, il n'y a pas de problème, nous habitons tous les deux au Morne

Cabrit. Quant à Benjamin, il s'est retiré à Marigot, sur une propriété aux Orangers, Impasse des Petits Oiseaux, 24. Je passe souvent les week-ends avec lui, il y a la plage pas loin. C'est encore un homme placide, il n'est pas bavard et est demeuré le même, sauf qu'il a connu il y a environ deux ans quelques petits ennuis de santé. Il avait un faible pour les belles femmes, c'était son seul défaut. »

Marigot, 24, un linceul pour naître

Mika lui avait enseigné qu'il existe plusieurs familles de mots. Certains mots permettent d'ouvrir portes et fenêtres, de faire tomber même des barricades. D'autres servent à résoudre des énigmes, d'autres, encore, font chanter notre âme. Junon ne savait plus quels mots utiliser pour décrire son état d'esprit en ces premiers jours de mars. Ce qu'elle savait par contre, c'est qu'après avoir passé plus d'un mois dans ce pays, sur cette terre à laquelle elle était liée à la fois par l'amour et la haine, un lien fait de violence, de choses terribles et insaisissables, elle s'apprêtait à déplier un linceul qu'elle tissait patiemment depuis des années. Linceul, mot unique, le seul qui lui venait. Je vais m'ouvrir au monde, se disait-elle, m'ouvrir avec un regard clair. Combien d'années faut-il pour laisser retomber la poussière, permettre à l'horloge du temps de défaire ce qui fut ? Toutes ces années pour naître enfin.

Au cours d'un souper qu'elle avait tenu à préparer, Junon fit ses adieux à Mika et à son compagnon. Il valait mieux, prétextait-elle, qu'elle soit hébergée dans un hôtel la veille de son départ. Elle éviterait ainsi embouteillages et autres pépins au moment de se rendre à l'aéroport. Reverrait-elle Mika ? Rien n'était moins sûr. Sa grand-mère aurait bientôt quatre-vingts ans. Curieusement, Junon avait l'impression que Mika était soulagée par son départ.

La colère dressée au cœur de Junon, tel un arbre vigoureux étendant bien loin branches et racines, projetait sur l'univers de Mika des ombres glaciales.

Dans l'après-midi, elle avait rangé son matériel dans une petite voiture louée sous une fausse identité. Il lui avait fallu moins d'une heure pour tout rassembler. Elle était prête. Tout en bouclant ses bagages, elle avait appelé Soli, puis Maria-Luz. Les deux femmes lui reprochèrent de ne pas donner de nouvelles. Elle les avait rassurées de son mieux.

La veille, elle avait mené sa deuxième incursion dans la zone, avait laissé la voiture en lieu sûr, sur la route de Kenscoff, emprunté une camionnette du transport collectif qui l'avait déposée sur la grand route, avant de déboucher dans la rue qui menait à l'Impasse des Petits Oiseaux. Elle avait passé l'après-midi dans la zone, d'abord, sur la plage déserte, puis elle avait flâné ici et là pour bien prendre le pouls de l'endroit. Peu de gens passaient sur cette route, presque pas d'habitations. Des colonies de lézards verts, vifs comme des éclairs, grouillaient dans l'herbe.

Aujourd'hui, le temps était maussade, mais elle aimait bien cet aspect triste que revêtait le crépuscule, les assauts du vent se calmaient, les arbres reprenaient leur posture apaisée, et le soleil, au loin, se perdait. Dans la faible lumière du jour qui déclinait, tout semblait devenir plus pâle et plus glacé. Elle sentait un courant d'air froid, à cause du souffle qui venait du large, mais aussi de la fatigue et de l'émotion des derniers jours. Elle avait préféré délaisser la route principale, défoncée et, malgré tout, encombrée par une foule de véhicules tout-terrain, lancés à folle allure : grosses Jeeps débordant de soldats, véhicules transformés en chars d'assaut. Malgré le temps écoulé depuis le départ de leur chef, ces manœuvres, et bien d'autres, visaient encore à intimider la population pour faire cesser les règlements de comptes avec les carnassiers. D'ici une demi-heure, calcula-t-elle, elle arriverait à destination. Elle avait retrouvé sans peine la petite route secondaire, rangé l'auto dans le taillis.

***

Elle éprouvait un peu de mal à avancer sur ce sentier étroit, une bande de terre humide et sombre, au milieu des fourrés. Ses pas s'enfonçaient profondément dans cette terre qui avait la consistance de la glaise, et rendait sa progression difficile. Des branches balayaient le sol, certaines, portant des épines, lui griffaient le visage, mais elle le sentait à peine. Calme profond. Rien que le bruit de succion de ses pas. Un petit vent frais s'était levé, apportant de temps à autre de vagues parfums de plantes, qu'elle ne savait pas reconnaître. La maison n'était pas loin de la plage, elle s'était donc accroupie derrière une très haute dune, et faisait bouger ses doigts, légèrement engourdis. Vingt minutes qu'elle attendait. L'homme de la pizzeria lui avait bien dit que l'autre se couchait en général dès sept heures, après le départ de la servante qui lui servait le souper.

Et comme elle était là, à l'abri, confiante en cette étoile de chance qui l'avait prise par la main et avait guidé ses pas, paisible dans l'attente, elle remontait le cours de sa vie, la regardait défiler. Et quelque chose, malgré elle, la serrait à la gorge, elle se disait que sa jeunesse était passée, car n'est-ce pas ainsi le départ de la jeunesse, quand le froid prend possession de nous pour ne laisser qu'un paysage de blessures, d'humiliations et de rancœurs ? Un nuage épais, fait de rage puissante, lui enveloppait le cœur. Elle était prête à affronter l'enfer, se disait-elle, prête à tout pour donner une voix à cette histoire. L'heure des comptes avait sonné.

La maison paraissait appartenir à quelqu'un qui la voulait discrète. Construite au fond d'une immense cour, des haies de camélias touffues s'étendaient de part et d'autre d'un mur d'enceinte, obstruant la vue. De construction robuste, elle faisait penser à ces demeures coloniales que l'on trouvait dans certaines régions des États-Unis. Une résine couleur café couvrait les colonnes de l'immense véranda. Le jardin, un fouillis très sombre. Palmiers nains, cocotiers, bananiers et autres espèces de plantes bruissaient doucement, créant une atmosphère feutrée.

Elle ne s'attendait pas à ce que le portail soit fermé à l'aide de ce cadenas massif et de ces immenses chaînes. Elle n'insista pas et entreprit de faire le tour du mur de béton, lequel, Dieu merci, n'était pas hérissé de tessons. Elle l'escalada sur un côté de la maison où elle ne voyait aucune ouverture, ni porte ni fenêtre. Elle atterrit sur un épais tapis de feuilles humides et de mousse et au même instant elle les entendit :

— Inutile de continuer à lui poser les mêmes questions. Tous des menteurs. Il continuera à mentir.

Celui qui venait de s'exprimer avait la voix d'un homme mûr. Junon pensa quand même à Gabriel. Le même feu, la même fougue. Se peut-il qu'il ait avec ses compagnons planifié avant sa mort ce raid, comme il désignait ces incursions qu'il menait avec sa bande dans les repaires des carnassiers ? Elle lui avait tout conté. Des doutes l'envahirent. Gabriel, se souvint-elle, disait tout connaître de l'homme de Marigot. « Il est sur notre liste, j'ai son dossier », avait-il lancé, d'un ton dur.

— Qui vous envoie ? aboya quelqu'un.

Celui qui venait de hurler ainsi devait être cet Astrel Benjamin, l'homme qu'elle était venue rencontrer.

— Passe-moi le pistolet que je lui réponde ! ordonna aussitôt une autre voix, nous avons déjà perdu beaucoup trop de temps avec cette ordure !

— Pas encore, pas si vite ! rétorque un autre. Monsieur Benjamin, poursuivit-il, nous allons vous dire pourquoi nous sommes ici. Qui nous envoie ? Cette question, par contre, est fort impertinente. Il y a, figurez-vous, des hommes de main que l'on envoie la nuit dans les demeures des femmes pour les violer, les assaillir. Nous ne sommes pas de ceux-là. Nous ne sommes envoyés par aucun gouvernement de malfrats, ni par aucune force des ténèbres, nous sommes ici de notre propre gré, nous sommes ici par devoir, pour vous demander des comptes, nous sommes ici pour vous, Monsieur Benjamin !

Celui qui parlait semblait faire le va-et-vient. Depuis son poste dans les buissons, Junon entendait le bruit de ses pas. Il semblait être le chef de la bande, car il demanda à l'un d'eux de lire l'acte d'accusation. Au même moment, parvint à Junon un grognement irrité, suivi d'un coup sec et d'une plainte qui se prolongeait. Une fenêtre s'ouvrit, puis une fois de plus la même voix : « Flanquez-moi ces cannes par la fenêtre ! » Deux cannes atterrirent dans les camélias.

— On dit que vous avez eu des problèmes de santé. Visiblement, vous ne pouvez vous déplacer sans ces outils, à moins de vous jeter à terre et de ramper. Entreprise périlleuse et, surtout, inutile, vous en conviendrez.

— Mais qui êtes-vous ? D'où sortez-vous ?

Junon aurait donné cher pour voir le visage de celui qui venait de faire entendre ces rugissements de bête aux abois. Aucun d'entre eux ne prit la peine de lui répondre. Et tout à coup, une voix fluette, on aurait dit celle d'une jeune fille, s'éleva :

— Regardez ce corps bouffi, regardez cet animal ! Qui nous sommes ? Vous le saurez en temps et lieu. D'où nous sortons ? Du ventre de notre mère ! Voyez-vous, nous ne nous sommes pas amenés jusqu'ici pour discuter. Notre présence dans votre bauge s'explique uniquement au nom du principe qui veut qu'une punition soit le remboursement par le contrevenant de sa mauvaise action. Au nom de ce principe, vous allez mourir, et vous allez vous exécuter vous-même. Vous refusez ? C'est simple. Nous mettrons le feu à la maison. Vous mourrez donc quand même. À moins que vous ne réussissiez à vous en extirper, ce dont nous doutons. Sur la véranda, il y a tout le nécessaire pour allumer le feu.

La respiration de l'homme devint saccadée. Junon s'avança lentement, encore un peu vers la porte. L'espace entre les gonds et le chambranle était juste assez large pour lui permettre de voir une sorte de petit boudoir, un fauteuil de rotin. Dedans, replié sur lui-même, un homme au corps trapu. Le front osseux, le cheveu rare, les yeux disparaissant sous la broussaille des sourcils, il fixait, ahuri, deux hommes et une jeune fille.

— Auriez-vous peur ? lui demanda la fille. Vous espérez donc nous faire pleurer ? Après avoir mené une si longue et extraordinaire carrière de carnassier, après avoir torturé, violé, assassiné tant de gens, vous allez me faire croire que ces deux hommes inexpérimentés et une toute jeune femme comme moi vous effraient ? Allez ! Vous allez vous conduire en brave, comme de coutume.

— Mais de quelles atrocités parlez-vous, madame, barbota l'homme. J'ai servi mon pays et n'ai jamais, jamais commis d'abus. Je n'ai fait que mon devoir.

Un des hommes fit mine de se jeter sur lui pour le gifler. La jeune fille le retint par le bras, puis elle lança au vieil homme un jet se salive au visage, en lui disant :

— Ayez la bonté de me pardonner. J'ai grandi sans père pour me discipliner et j'ai eu une mère absente, meurtrie, complètement traumatisée par un viol, le viol dont je suis issue, vous comprenez ? Elle a été violée une nuit par un fils de hyène qui vous ressemblait. Elle a fait de son mieux, ma pauvre mère, mais je ne sais rien des bonnes manières. Lorsque les hyènes envahissaient le quartier, ils violaient souvent toutes les filles dans une même famille, comprenez-vous, Monsieur Benjamin ?

Des sanglots se firent entendre dans la voix de la jeune fille.

— Ma fureur, ma rage contre vous pèse du même poids que toutes ces années de souffrances, les souffrances de ma mère et les miennes, celles que j'ai vécues en affrontant quotidiennement la répugnance de cette femme qui m'a mise au monde, ce dégoût qui faisait qu'elle ne pouvait jamais lever les yeux sur moi, me prendre dans ses bras, me regarder, me parler. Je vous ressemble tant.

Sa voix flancha, mais rapidement, elle se reprit.

— Ces sourcils en broussailles, cette bouche lippue... Aujourd'hui, je comprends l'ampleur de son sacrifice. Plus que tout, c'est son silence qui à petit feu me tuait, ce silence pour lequel vous allez payer, ce silence contre lequel elle n'avait aucun pouvoir, ce silence, sa seule bouée de sauvetage. Ma mère, naufragée toute sa vie, ma mère, dépouillée de tout, ma mère irrémédiablement muette.

Junon tremblait de tous ses membres. Comment cette jeune fille pouvait-elle s'exprimer avec ses propres mots? Elle vit l'homme, qui, semblant obéir à une impulsion, tenta de se lever. Elle se répétait qu'il était plus que temps pour elle de s'en aller, mais sentait ses jambes flageolantes, elle ne savait pas si elle se trouvait dans un rêve ou dans la vraie vie.

Telle une automate, elle reprit la route pour retrouver sa voiture dans les buissons. Une lune immense jaillissant soudain balaya le ciel, comme pour lui montrer le chemin. À présent elle marchait vite, très vite. Ses pieds touchaient à peine le sol. Combien sommes-nous ici, dans ce pays, avec une existence en lambeaux? Elle rêva soudain de se trouver assise dans l'avion, pensa à Maria-Luz, souhaitait si ardemment sa présence qu'elle se mit à pleurer.

***

Dans la maison, là-bas, l'homme soufflait, s'agitait comme s'il dansait assis sur sa chaise et, comme il était de la race des pleutres, il continuait à gémir faiblement. La jeune fille, croyant le voir baver, esquissa une moue de dégoût, puis comprit que c'était le crachat dont elle l'a couvert qui ruissellait jusqu'à ses lèvres.

— Qui êtes-vous, renifla à nouveau l'homme, pour venir me parler de justice?

— Qui vous parle de justice? Avons-nous prononcé ce mot? Vous ne savez pas qui je suis; pourtant, il doit y avoir dans ce pays, dans cette ville même, tant et tant de femmes et d'enfants qui rêvent de se tenir devant vous pour accomplir tout comme moi ce devoir. Celle que je suis a vraiment peu d'importance, dites-vous que je suis simplement une de celles-là.

— À présent, dit le plus jeune de ses compagnons en s'avançant vers l'homme, tassé dans le fauteuil, je vais vous poser quelques questions, pure formalité. Répondez simplement par oui ou par non. Vous appelez-vous bien Astrel Benjamin ?

— Ouain !

— Étiez-vous, dans la nuit du 5 janvier 1958, membre de l'escadron de la mort, envoyé sur les ordres de François Duvalier au domicile de la journaliste Mika Pelrin ? Puis le lendemain, chez les filles Jean-Baptiste, rue Tirmasse ?

— J'étais là, mais ce n'était pas moi. Il y avait cette nuit-là Romain, Barbot, Maître, Désir, Ti Boulé, Gro Féfé, Gracia, André, Paul... Milice Midy, Boss Pinte, Zacharie Delva...

— Basta ! hurla la jeune fille.

— Je ne sais plus qui d'autre, marmotta-t-il malgré tout. Moi, j'étais officier de l'armée, je ne faisais qu'obéir aux ordres, lâcha-t-il dans un souffle. Et puis, je crois que c'était le nommé Ti Boulé cette nuit-là ou Albert ou peut-être Pierre, je les ai oubliés, je ne sais plus. Il y a si longtemps.

— Vous étiez là, et ce n'était pas vous ? Ce n'était pas vous, c'était Pierre, Albert, Orcel, Tassy, Jeannot Lapin, Jérôme, Décembre ? Dites-moi, n'auriez-vous pas été, après ce crime, jusqu'à vous vanter de vous être mis à table ?

— C'étaient les ordres de Duvalier, protesta-t-il encore.

— C'est donc par devoir que vous avez commis ces crimes et tous les autres qu'on vous impute ?

L'homme ne répondait plus.

— Allez-vous répondre ? Oui ou non !

Des éclairs d'intense frayeur jaillirent des pupilles troubles de l'individu. Il inspirait et grelottait.

— Vous allez mourir boucané, totalement cuit ! hurla encore la jeune fille. Imaginez un peu le feu montant du plancher, les flammes prenant d'assaut votre chaise, ah, elle est en osier ? La belle gerbe d'étincelles que ce sera ! Puis vos jambes que vous ne saurez même pas agiter, pensez un peu, là derrière vous dans la cuisine, ce robinet qui ne pourra rien pour votre soif. Imaginez aussi, entre vos cuisses de salaud, votre arme favorite en train de se tordre de douleur, ratatinée, carbonisée, fin horrible pour cette arme avec laquelle vous avez détruit tant de vies. Cette arme terrifiante, redoutable, plus qu'un étron de chien dans le feu ! Allez, imaginez encore un peu : cœur, poumons, rate, foie qui se recroquevillent, se dissolvent, disparaissent, et la flamme ragaillardie monte encore jusqu'à votre visage.

Les gémissements de l'homme s'intensifièrent.

— Ça suffit, animal ! Personne dans cette ville ne viendra à votre secours. Ici, dans cette ville, vous avez fait tant de mal, tué tant de gens, détruit tant de vies, vous êtes haï. Ils vous laisseront crever avec la plus grande joie ! Cela dit, nous pouvons éviter le feu, nous allons donc placer le canon du revolver dans votre bouche et vous allez vous-même tirer.

La jeune fille fit signe à l'un des deux autres. Celui-ci s'approcha, se pencha vers l'homme, qui se cabra. La chaise s'affaissa. De ses doigts déformés, l'homme tenta un mouvement gauche afin de se saisir du pistolet. Il reçut un coup de crosse sur les mains. Alors, d'un bond désespéré, il se projeta sur la table où se trouvait une lampe à kérosène.

Ils n'eurent que le temps de lui loger une balle dans le pied avant de quitter les lieux.

Ils avaient disposé des dizaines de noix de coco munies de longues mèches de coton et de raphia autour de la maison. Toutes les mèches se rejoignaient au même endroit, enterrées sous une mince couche de paille, sur la plus haute butte de terre, avant la plage.

L'homme, à l'intérieur, bramait. De loin, on pouvait entendre un grésillement intense.

Il ne faut mettre le feu qu'à une ou deux mèches, avait insisté Gabriel, puisqu'elles se rejoignent toutes, le vent se chargera du reste. C'est ce qu'ils firent.

***

Lorsque l'auto de Junon parvint tout au haut du morne La Vallée, là où elle devait prendre l'embranchement vers la route menant à la frontière, elle s'arrêta. Tout en bas, elle vit s'élever de gros nuages de fumée et d'immenses langues rougeâtres.

Elle ferma un instant les yeux, une vision féérique s'empara d'elle : des femmes faisaient la ronde autour d'un feu, elles portaient de longues jupes bordées de larges volants de dentelle, leurs bracelets tintaient, elles dansaient un fandango. Elle entendait les castagnettes. Là-bas, tout en bas, le feu crépitait. Telle une couleuvre avide, il encerclait la maison. Un jour comme aujourd'hui, clama Junon, un jour, même avec des cheveux blancs, je reviendrai danser et pisser sur ces cendres. À présent, se dit-elle, en s'engageant dans l'embranchement, je vais simplement m'asseoir et regarder s'éteindre tout ce qui brûlait en moi.

Remerciements

Mes plus sincères remerciements au Centre national du livre (CNL) et à l'Association Montargue de la Guyane française. Sans le soutien financier de ces deux organismes, cet ouvrage aurait certainement été écrit, mais dans des conditions combien plus difficiles.

À Line Colson, de la Boutique d'Écriture de Montpellier, merci de m'avoir offert l'espace propice à l'élaboration des premiers jets de ce livre, sans oublier les rencontres, les discussions, les paroles franches qui ont contribué à me faire sortir de ma zone de confort.

À Julianna Rimane et Denis Gerval, de l'Association Montargue de Kourou, votre accueil généreux, votre dévouement pour la littérature et la culture en général m'ont beaucoup émue lors de mon dernier séjour d'écriture en Guyane. Merci pour toutes vos belles attentions.

À Rachel, des Éditions du remue-ménage, qui depuis vingt ans m'accorde son soutien et me permet de bénéficier de sa rigueur, mille mercis.

À Valérie Lefebvre-Faucher, pour ses lectures et relectures si attentives et constructives du texte, un grand merci.

À mon amie Clorinde Zéphir, pour sa générosité, sa très grande disponibilité tout au long des années où j'ai travaillé à l'écriture de ce roman.

À Didier. C. pour son appui, sa gentillesse, un baume dans les moments difficiles.

À vous tous et toutes, amies, amis, qui ont porté avec moi ce projet, merci pour votre écoute et vos encouragements.

Montréal 2008, Montpellier 2011-2012,
Kourou, Guyane française 2013, Montréal 2015

Table

Achevé d'imprimer
en septembre deux mille quinze, sur les presses
de l'imprimerie Gauvin, Gatineau, Québec